L'HOMME

Du même auteur, à la courte échelle

Romans
La lune rouge
La marche du Fou
On finit toujours par payer
Le mort du chemin des Arsène

Format de poche
La lune rouge
La marche du Fou
On finit toujours par payer

Jean Lemieux

L'homme du jeudi

la courte échelle

Les éditions de la courte échelle inc.
160, rue Saint-Viateur Est, bureau 404
Montréal (Québec) H2T 1A8
www.courteechelle.com

Révision :
Hélène Ricard

Dépôt légal, 2ᵉ trimestre 2012
Bibliothèque nationale du Québec

La courte échelle reconnaît l'aide financière du gouvernement du Canada par l'entremise
du Fonds du livre du Canada pour ses activités d'édition. La courte échelle est aussi inscrite
au programme de subvention globale du Conseil des Arts du Canada et reçoit l'appui
du gouvernement du Québec par l'intermédiaire de la SODEC.

La courte échelle bénéficie également du Programme de crédit d'impôt pour l'édition de livres
— Gestion SODEC — du gouvernement du Québec.

**Catalogage avant publication de Bibliothèque et Archives nationales du Québec et Bibliothèque
et Archives Canada**

Lemieux, Jean,
L'homme du jeudi
ISBN 978-2-89651-569-1
I. Titre.

PS8573.E542H65 2012   C843'.54   C2012-940576-0
PS9573.E542H65 2012

Imprimé au Canada

AVERTISSEMENT

À Evelyn

Thursday's child has far to go

Comptine anglaise

Toute sa vie, il avait cherché la distance.
Mais la distance ne comptait pas,
seule la proximité avait un sens.

Henning Mankell

Dans la nuit, la rivière est couverte d'une brume grise, dense, qui le soustrait aux regards. Le rivage sent la vase et le bois pourri. Il avance sur le fond sablonneux, prudemment, jusqu'à ce qu'il ait de l'eau jusqu'à la taille. Le courant le force à écarter les jambes, l'entraîne vers l'ouest, vers le fleuve, vers la mer.

La tête de l'enfant repose contre son épaule.

Il le fait glisser dans la rivière, doucement, sans faire d'éclaboussures. Le garçon flotte sur le dos, comme s'il faisait la planche. L'œil droit, ouvert, fixe les étoiles. L'eau s'infiltre par la bouche, par cette étoile rouge sur sa tête. L'enfant dérive sous la brume. Il le retient un moment par la cheville, puis le laisse aller.

Le courant le pousse vers la berge.

Lac-Beauport
Mardi, 21 octobre 2003

*Il est des bateaux qui aborderont
à bien des ports, mais aucun n'abordera
à celui où la vie cesse de faire souffrir,
et il n'est pas de quai où l'on puisse oublier.*

FERNANDO PESSOA

1

Le petit gars dans la rivière

Le téléphone de Surprenant sonna.

— On a ton petit gars, annonça Labonté.

— Où?

— Au sud du pont Clark, à Saint-Gabriel, dans la rivière.

Surprenant nota l'heure, midi vingt-cinq, et enjoignit au jeune agent de rester sur place et de ne toucher à rien.

— Je ne suis pas idiot, quand même, protesta Labonté.

— Dans quel état est-il?

— Échoué dans un pied d'eau, nu comme une truite, la tête amochée.

— J'arrive.

Santerre, l'*autre* sergent-enquêteur, était absent. «Parfait!» se réjouit Surprenant. Le trajet entre Lac-Beauport et Saint-Gabriel-de-Valcartier lui laissa le temps d'avertir le coroner et son supérieur.

— Dans la rivière, à Saint-Gabriel! s'étonna Bachand. Pourquoi s'en être débarrassé là? Le gars n'a pas toute sa tête.

— On s'en doutait un peu, non?

Surprenant traversa Notre-Dame-des-Laurentides, puis emprunta le raccourci de la rue Lepire pour rejoindre

15

le boulevard Valcartier. La route à deux voies, bordée de modestes bungalows, montait vers le nord. Au loin, Surprenant apercevait les rondeurs mordorées des Laurentides. À son retour des Îles-de-la-Madeleine, il avait dû troquer la mer pour la forêt. Ici, le regard ne se perdait pas sur l'horizon. Il se butait sur un mur de conifères, sur le flanc d'une montagne rabotée par les glaciers. Surprenant avait été élevé près du Richelieu. À Québec, il avait retrouvé des rivières, ces eaux qui ne l'enserraient pas de leur masse puissante, comme l'Atlantique, mais qui fuyaient d'un point à l'autre, en grondant ou en murmurant, emportant dans leur course un peu de temps perdu.

Les maisons s'espacèrent. Il roula bientôt le long de la base de l'Armée canadienne. Il passa le croisement de la 371, qui menait à Tewkesbury, l'église presbytérienne, puis la catholique. À sa droite, il aperçut les structures désertes des glissades d'eau du Village Vacances.

Jonathan avait dû les dévaler, hilare, en des jours heureux.

Une côte menait au pont Clark, une traverse vieillotte, à une voie, qui enjambait la Jacques-Cartier. À l'extrémité d'une aire de repos agrémentée de tables de pique-nique, il aperçut une voiture de police. Éric Labonté et sa coéquipière Audrey Gaudette, repoussant une quinzaine de badauds, avaient établi un large périmètre de sécurité.

Labonté, menton et pectoraux en proue, vint l'accueillir.

— Si c'est pas lui, je suis premier ministre.

En amont du pont, du côté sud, la rivière s'évasait et formait un cul-de-sac fréquenté par les promeneurs et les kayakistes. À deux mètres du bord, derrière quelques jeunes saules, le corps blanc d'un garçon gisait, ventre en l'air, contre le fond vaseux. Surprenant enfila des bottes de caoutchouc qui traînaient dans le coffre et s'approcha du cadavre en prenant soin d'entrer dans l'eau à l'extérieur du périmètre. Un coup d'œil lui suffit. Ce visage tuméfié, déformé à gauche par une fracture ouverte du crâne, appartenait, jusqu'à preuve du contraire, à Jonathan Gagnon, disparu trois jours plus tôt à Sainte-Catherine, à vingt kilomètres en aval, sur la même rivière Jacques-Cartier. À part la blessure crânienne, le corps n'affichait pas de signes de sévices.

— Dur de dire depuis combien de temps il est dans l'eau, hasarda Audrey Gaudette.

Surprenant observa la recrue. La jeune femme luttait contre ses émotions, ce qui conférait à son teint hâlé un éclat verdâtre.

— Le légiste nous le dira. Qui a trouvé le corps?

Il fut mis en présence d'une anglophone d'une soixantaine d'années, flanquée d'un Jack Russell qui répondait au nom de Whisky. Dorothy Campbell effectuait sa promenade quotidienne lorsqu'elle avait aperçu un corps échoué sur la berge. Rien d'autre à signaler, sinon qu'elle pouvait jurer que le cadavre n'était pas là la veille. Whisky, « that pig-headed hairy thing », avait ses habitudes.

Surprenant la libéra après avoir pris ses coordonnées. Le coroner arriva, suivi d'une équipe de tournage de TVA. Percevait-il une commission? Les techniciens en scènes de crime, quant à eux, étaient en route. Surprenant s'approcha des journalistes.

— Le corps n'a pas encore été identifié. Vous ne sortez rien avant les bulletins de cinq heures.

— C'est le petit Gagnon, n'est-ce pas? demanda le reporter.

— Je répète: le corps n'a pas été identifié. La famille n'a pas été contactée. Alors, faites preuve de retenue.

Surprenant avait emprunté un ton ferme. L'éclosion des chaînes de nouvelles en continu avait exacerbé la compétition entre les médias, ce qui laissait de moins en moins de temps aux policiers pour prévenir les proches des victimes.

— On s'entend pour dix-sept heures, concéda le journaliste. Vous m'appelez quand l'identité sera confirmée ?

Surprenant s'éloigna sans répondre et s'abîma dans la contemplation de la rivière qui coulait, gonflée par les pluies d'automne, entre les rives abruptes, hérissées de conifères. Après cette montée d'adrénaline, il se sentait envahi par une sensation de vide.

Il avait échoué. Il avait promis à Diane Gagnon de retrouver son fils. Malgré son expérience et malgré les statistiques — les probabilités de retrouver un enfant vivant chutaient dramatiquement après les premières heures —, il avait comme elle espéré un miracle.

Il lui ramenait un Jonathan mort, gonflé comme un poisson tué par un déversement toxique.

* * *

Elle sut, aussitôt qu'elle entendit les quatre coups frappés à la porte d'en avant.

— J'y vais, dit Francine en se levant.

Sa vieille amie avait pris congé pour rester à ses côtés. Diane la retint par le bras.

— C'est à moi d'y aller.

À l'autre bout de la table, son père se taisait, mais il devait approuver. Affronter. C'était, entre autres choses moins agréables, ce qu'il lui avait appris.

Elle traversa le corridor. À sa gauche, elle longea la chambre de Jonathan, avec sa porte ornée de son affiche égyptienne. La nuit précédente, elle s'était éveillée en sursaut, avec l'absurde impression qu'il était rentré en catimini pour lui faire une surprise à son réveil. Elle s'était levée, incapable de résister à cet élan d'espoir.

La chambre était vide, évidemment.

Elle entrevit deux silhouettes derrière le rideau de la porte d'entrée.

Son cœur défaillit. La plus grande, la plus massive, c'était le sergent.

Son cerveau se figea, comme un moteur privé d'huile. Son corps, lui, fonctionnait toujours. Son bras se leva, ouvrit la porte. Ses yeux confirmèrent l'identité de Surprenant, ces cheveux foncés, ces yeux noirs qui la fixaient avec une sollicitude révélatrice. À ses côtés, une jeune policière trop bronzée semblait sur le point de s'évanouir.

Diane recula, sans dire un mot.

— Assoyez-vous, madame Gagnon.

Madame Gagnon ne s'assit pas. Elle cria, hurla, fut traversée, des pieds à la tête, par une douleur fulgurante. Son cœur allait éclater, là, tout de suite. Elle tituba jusqu'à la bibliothèque, ces planches de pin qu'elle avait coupées, sablées, assemblées et vernies au temps où elle avait emménagé en ville. Elle l'arracha du mur et la précipita sur le plancher en pensant : « Les livres, c'est ce qui va me rester. »

Son père et son amie accoururent. Son père la saisit par les bras. Elle sentit ses mains calleuses sur sa peau. Sa poigne était toujours solide. L'onde de choc s'atténua, comme s'il lui servait de paratonnerre.

Elle entendit les mots que prononçait Surprenant, « corps », « rivière », « Saint-Gabriel »... Elle eut honte d'avoir craqué. Elle s'était laissé encore une fois submerger par ses émotions. L'espoir. Le sale espoir. Depuis samedi soir, elle avait joué à cache-cache avec elle-même. Sa raison cherchait à accepter l'évidence, pour diminuer la douleur, mais son cœur espérait toujours.

L'agente s'approcha d'elle. On lui avait sans doute appris que son rôle, dans ces circonstances, était d'apporter du réconfort. Elle était trop jeune, elle n'avait pas le tour, elle ne savait que faire.

Diane Gagnon comprit qu'il fallait identifier le corps avant l'autopsie. Son père, en gars de chantier qui avait tout enduré, se proposa.

— J'irai avec Francine, trancha-t-elle.

Elle se dirigea vers la porte, sans même prendre une veste.

— Allons-y. Tout de suite.

Elle devrait probablement appeler Jean-Claude. Ce n'était pas un mauvais père. Il devait se ronger les sangs auprès de sa nouvelle blonde. Diane s'en fichait. Elle lui parlerait plus tard, quand ce serait fini.

Elle prit place à l'arrière de la voiture de police. Francine lui tenait la main. Malgré la chute des feuilles, l'après-midi était d'une douceur dérisoire. Elle sentait sur son visage, comme une caresse furtive, les regards navrés des voisins. Combien de gens, au village, savaient eux aussi ? En traversant le pont, elle regarda la rivière et, une première fois, se demanda pourquoi l'assassin de Jonathan avait choisi de le jeter à l'eau. Et pourquoi à Saint-Gabriel ?

Sur le siège avant, Surprenant et la jeune policière, qui s'appelait Audrey, observaient un silence sidéral.

À l'hôpital, un infirmier les mena, par des couloirs violemment éclairés, à une salle du sous-sol. Elle entra avec Surprenant, laissant Francine et la policière dans le couloir.

Sur une table d'acier, un drap vert recouvrait une forme qui ne ressemblait pas à Jonathan. L'abdomen était trop protubérant. Follement, elle espéra encore qu'il y avait eu erreur. Elle allait soulever ce suaire et découvrir le visage d'un autre enfant.

Surprenant avança la main. Elle le retint et tira elle-même le drap.

C'était un simulacre de Jonathan, un fantôme bouffi, d'une blancheur sinistre. Le côté droit de la face était lacéré, le nez était de travers, l'oreille gauche quasi arrachée s'ouvrait sur le crâne. Par une affreuse déchirure, elle entrevoyait des éclats d'os. L'œil gauche était fermé, mais le droit, terne et mort, fixait un point, droit devant. Elle rabattit le drap jusqu'à mi-cuisse. Là, trois pouces à droite du nombril, la coupure qu'il s'était infligée en tombant sur un couteau dans la porte du lave-vaisselle, le jour de ses quatre ans, alors qu'il était poursuivi par sa cousine Aurélie. Plus bas, le pénis, le prépuce qu'elle avait dilaté consciencieusement pendant ses premiers mois.

Son fils était mort avant d'avoir fait l'amour.

À part la tête, le corps ne portait que des écorchures. Les plaies, d'un rose pâle presque gris, avaient été lavées par la rivière. Les entrailles devaient commencer à pourrir.

Des milliers d'heures de soins, de préoccupation, de surveillance, de cajoleries, de décrassage, des milliers de couches changées, les leçons apprises sur le coin de la table, les soirées au soccer, au hockey, la complicité ensommeillée des matins, les maladies d'enfant, tous ces petits morceaux d'amour quotidien pour aboutir à ça.

Surprenant, à ses côtés, respirait lentement, profondément. Il était ému, lui aussi. Devant le corps de l'enfant qu'il avait voulu lui ramener, ils formaient une sorte de couple.

Elle posa un dernier regard sur son unique enfant, avant de se dire que c'était inutile. Ce corps n'était qu'une enveloppe vide, un mannequin, ce n'était plus Jonathan. L'image qu'elle emporterait de son fils, c'était son sourire espiègle, son « Oui, oui, Diane ! » quand il avait enfilé son coupe-vent pour aller chez son ami Maxime. Lui avait-elle demandé de faire attention, de rouler à gauche, sur l'accotement, face à la circulation ? Pas ce soir-là, mais elle avait dû le lui répéter au moins vingt fois. Que serait-il arrivé ce samedi-là, si…

La main de Surprenant se posa sur la sienne. Elle pleurait. Il serra sa main, puis recula de deux pas. Elle remonta le drap et quitta la pièce. L'infirmier eut la délicatesse de leur éviter le brouhaha de l'urgence en les faisant sortir par le stationnement.

Surprenant la prit à part.

— Ma coéquipière va vous reconduire à Sainte-Catherine.

— Pourquoi ?

— Je dois annoncer la nouvelle au père, répondit-il en observant sa réaction.

— Je peux le faire moi-même.

— C'est mon travail.

Elle haussa les épaules. Ce policier l'avait démasquée. Malgré son chagrin, elle aurait dû informer son ex, ou du moins exprimer une quelconque préoccupation quant à ses sentiments.

2

Don Quichotte à l'église

Dans son confortable bungalow de Charlesbourg, Jean-Claude Montreuil, les cheveux abondants mais blanchis, une tête de chérubin au-dessus d'un corps empâté, accueillit la nouvelle de la mort de son fils avec une douleur résignée. Au contraire de la mère, il ne semblait pas avoir nourri l'espoir de le revoir vivant. Curieusement, il retint le policier pendant de longues minutes, moins pour parler de Jonathan que des circonstances de son divorce. Pour l'homme, qui entreprenait une troisième union, cette fois-ci avec une compagne plus jeune, la mort de son fils constituait la réouverture brutale, douloureuse, d'une première déchirure : ce jour où, après une dispute, Diane avait levé le camp avec leur enfant, sur un coup de tête, pour ne jamais revenir.

Surprenant prit congé du fonctionnaire municipal avec l'impression que ce n'était pas un hasard si Jonathan, bien que fils unique, portait le nom de sa mère plutôt que celui de son père. Il y avait là, peut-être, un premier rapt, qui s'était confirmé lors de la rupture du couple.

L'après-midi tirait à sa fin. Il prit la direction de Lac-Beauport.

Le poste de la SQ de la Jacques-Cartier, un assemblage de pavillons aux lignes modernes, était situé sur le boulevard à quatre voies qui reliait l'autoroute au centre de ski et à la petite ville proprette qui s'était concentrée sur la rive sud du lac. Il salua Lucie Preston, la réceptionniste.

— Luc est là?

— Il a quitté à seize heures.

Il monta à ce que tout le monde appelait le «bureau des sergents», en se félicitant de nouveau de l'absence de son collègue. Il parcourut ses courriels et ses messages téléphoniques. La vérification des propriétaires de Honda CR-V, des garages et des revendeurs de pièces usagées n'avait fourni jusque-là aucune piste.

Le soir tombait. Le corps de Jonathan Gagnon était en route vers l'Institut médico-légal. Il éteignit son ordinateur, acheta deux bouteilles de Ripasso à la SAQ et emprunta l'autoroute Laurentienne en direction de Beauport. Du haut de la crête qui dominait Charlesbourg, roulant à contre-courant des travailleurs qui circulaient sur deux files vers leur havre du nord, il retrouva le paysage qu'il commençait à apprécier, la vallée de la Saint-Charles, tapissée de lumières, la ville au loin avec les trois éminences du Complexe G, de l'édifice Price et du Château. À sa gauche, il devinait le fleuve, ruban gris qui allait s'empaler sur l'île d'Orléans. Il emprunta l'autoroute de la Capitale en direction sud puis sortit à Seigneuriale pour gagner le Vieux-Beauport.

Trois mois plus tôt, Geneviève et lui y avaient loué, avenue de la Falaise, un *split-level* vieux d'une quarantaine d'années, doté d'une vue sur le fleuve. Le quartier était calme. La maison était protégée par des haies de cèdres. Une piscine creusée, défraîchie mais fonctionnelle, attendait des améliorations. Geneviève s'était entichée des lieux, si bien qu'elle avait regretté de ne pas avoir acheté.

Surprenant avait commencé à la fréquenter aux Îles-de-la-Madeleine, alors qu'elle était agente sous ses ordres, ce qui avait contribué à son divorce, puis à sa disgrâce au sein de la SQ, un an plus tôt. La décision de Geneviève de réorienter sa carrière vers la formation leur permettrait — du moins l'espérait-elle — de mettre leur couple à l'abri des conflits. Il affrontait l'inconnu, la violence, tandis qu'elle éduquait. Ce partage des tâches n'était traditionnel qu'en apparence. Des deux, Geneviève était sans contredit la plus forte, la plus apte à soutenir la tension et à faire face au danger. Muni ou encombré d'une sensibilité d'artiste, Surprenant fonctionnait à la don Quichotte : il s'exposait et prenait des risques, toujours au détriment de sa carrière ou de sa santé.

Ce soir-là, Surprenant trouva Geneviève en train de superviser les devoirs d'Olivier, son plus jeune, qui entreprenait sa deuxième année. Elle leva vers lui des yeux interrogateurs.

— C'est Jonathan ?

De toute évidence, la machine médiatique s'était mise en branle.

— Oui.

— Tu as rencontré Diane ?

— La mère et le père. On en parlera tantôt.

La consigne était de ne pas parler de leur travail devant les enfants. Il salua Chat qui l'observait de haut du piano. Le félin — un matou jaune qu'il avait ramené des Îles-de-la-Madeleine — le gratifia de son regard habituel : « C'est toi, l'idiot qui me donne à manger deux fois par jour ? » Surprenant passa dans la chambre, se débarrassa de sa chemise et de son pantalon de service, prit une longue douche, enfila des jeans, un t-shirt, ses pantoufles, et gagna la cuisine où il entreprit de préparer un sauté de porc au gingembre en s'imbibant de Ripasso et de jazz.

— Ta mère a appelé, l'informa Geneviève sans lever la tête des devoirs de son fils.

— Qu'est-ce qu'elle voulait ?

— Elle est inquiète. Roméo fait de l'angine.

— Je commence à penser qu'elle est toxique. Elle est rendue à son troisième mari.

— André !

— Elle va bien ?

— Tu devrais peut-être le lui demander.

Surprenant se tut. Depuis un an, ses relations avec sa mère s'étaient détériorées. À tort ou à raison, il était persuadé qu'elle lui cachait quelque chose au sujet de la mort — ou de la fuite — de son père. Il lui avait rendu visite un samedi de septembre 2002, peu après son retour des Îles. Nicole Goyette, qui semblait enfin goûter au bonheur auprès d'un nouveau conjoint, s'en était tenue à son hypothèse : en octobre 1970, son père avait été éliminé, à trente-trois ans, par la mafia ou le FLQ. Qu'il puisse être vivant, c'est-à-dire qu'il ait abandonné femme et enfants sans donner signe de vie pendant plus de trente ans, était impensable.

Aiguillonné par des rêves et des souvenirs vagues, Surprenant n'avait pas lâché prise. Il avait sondé son oncle Roger, qui l'avait hébergé à Montréal pendant son adolescence. Son mentor lui avait juré qu'il n'avait rien à lui apprendre, sinon que son père et sa mère s'étaient mariés « un peu vite ». Surprenant était né en janvier 1961. Il avait vérifié à l'état civil : Maurice Surprenant, vingt-deux ans, et Nicole Goyette, vingt-cinq ans, s'étaient mariés à l'église Saint-Athanase d'Iberville, le 25 juin 1960. L'oncle Roger, devant les faits, avait convenu que ses parents s'étaient probablement mariés « obligés », selon l'expression de l'époque. Il ne pouvait lui en dire davantage, puisqu'il étudiait à Paris cette année-là.

Son oncle Marcel, un original qui vivait à l'année dans son chalet à l'embouchure de la rivière à Barbotte, avait meilleure mémoire malgré ses soixante-neuf ans. Après deux bières, il avait révélé à Surprenant que son *chum* Roland Audette lui avait juré avoir entrevu son père à Los Angeles au début des années 1980.

— Vous auriez pu m'en parler! s'était insurgé Surprenant.

— Tu commençais juste à avoir de l'allure, à cette époque-là. Et puis Roland... Il n'avait pas peur d'inventer une histoire.

— Votre *chum*, il est à Iberville?

— Il est presque voisin de ton grand-père Goyette, au cimetière.

Surprenant, sonné par ces révélations, avait laissé passer l'automne et l'hiver avant de prendre le chemin de la Californie. À Los Angeles, il avait appris assez rapidement qu'un Maurice Surprenant avait habité sur Breeze Crescent, à Venice, de 1980 à 1983. Était-ce son père? Les traces dans les registres civils se tarissaient. Pendant trois jours, il avait erré sous les hauts palmiers, dans les ruelles bordées de cottages, de Venice à Santa Monica à Marina del Rey, tendant la meilleure photo du disparu, un instantané où il plissait les yeux devant son camion de livraison.

La veille de son retour, en désespoir de cause, il était retourné sur Breeze Crescent et avait frappé à toutes les portes où il n'avait pas eu de réponse deux jours auparavant. À la quatrième, une petite dame dans la soixantaine, qui rentrait de son jogging, lui dit enfin: «Hey! I know this guy!» avant de lui préciser qu'elle croyait qu'il était *in the music business* et de l'aiguiller gentiment vers la gérante d'un bistro du boulevard Abbot Kinney.

La piste de Surprenant buta sur cette Laureen Sorensen dont le visage, encadré de rares cheveux gris, portait la triple trace du soleil, de la nicotine et de la chirurgie. Sur la défensive, elle lui confirma, dans un entretien qui dura à peine dix minutes, que *that Maurice* s'était installé à Venice au début des années 1980. D'après ce que Surprenant comprit, son père occupait un emploi de chauffeur, soit de camions, soit de limousines, auprès de personnes qui gravitaient autour d'orchestres rock. Il allait et venait, disparaissait des semaines entières. Avait-il une compagne, des amis? La femme n'en savait rien. Tous les solitaires avaient des amis à L.A. *That Maurice*, qu'elle avait connu par personnes interposées, avait disparu de la scène, un jour, sans que personne ne sache où il était parti.

— «This is old stuff, son», avait-elle lâché avant de retraiter vers son bureau.

Surprenant avait quitté la Cité des Anges avec l'impression que Laureen Sorensen, comme sa mère, ne lui avait pas dit tout ce qu'elle savait. Le *son* qu'elle avait employé était-il un tic de langage ou un signe qu'il ressemblait à son père? Au-dessus de Chicago, il avait regardé sa photo. Ces cheveux noirs, ce nez, cette bouche, cette allure dégingandée, il y avait peut-être quelque chose…

* * *

Ils mangèrent juchés sur les tabourets qui entouraient l'îlot de la cuisine. Le souper se déroula dans une atmosphère faussement légère. William et Olivier, âgés respectivement de huit et sept ans, évoquaient le fantôme de Jonathan.

Surprenant et Geneviève se retrouvèrent après que les garçons eurent disparu au sous-sol. Ils y disposaient de deux chambres et d'une vaste salle, dite familiale, que Surprenant avait dotée, malgré les réticences de Geneviève, de buts de hockey.

La salle à manger, dont les grandes baies surplombaient le boulevard Sainte-Anne, l'autoroute Dufferin-Montmorency et le fleuve, constituait la pièce la plus agréable du rez-de-chaussée : Geneviève avait proposé de la transformer en boudoir. Pour l'instant, elle ne contenait guère que deux *lazy-boy* et une table basse surmontée d'une lampe.

— Raconte-moi, demanda-t-elle.

— Le corps était dans la Jacques-Cartier. Depuis quand ? L'autopsie nous aidera peut-être.

Il lui narra par le détail les événements de l'après-midi.

— C'est bizarre, dit-elle. C'est comme s'*il* avait remis le corps.

— C'est peut-être un pédophile, une sorte de malade.

— Quand on veut agresser un enfant, on l'enlève, on ne lui rentre pas dedans avec un 4 x 4.

Il se tut, prit une gorgée de scotch.

— Comment était Diane ?

— En miettes, mais les morceaux tenaient.

— Depuis trois jours, il ne se passe pas une heure sans que je pense à elle.

— C'est une femme courageuse. Elle s'en sortira.

Il vida son verre.

— L'enquête donne quelque chose ? demanda-t-elle en posant sa main sur son bras.

— Rien, mais le gars a commis une erreur. Pour commencer, il a ramassé le corps, sur une route passante, au lieu de se sauver. C'est tordu, on ne voit jamais ça.

— Ensuite, il ramène le corps. Doublement tordu.

— À moins que je ne me trompe, il va nous faire signe une troisième fois.

* * *

Avec son clocher carré et excentré, ses proportions ramassées, sa brique jaune, l'église Sainte-Catherine lui fit penser, dans la lumière blonde du samedi matin, à un couguar à l'affût.

Surprenant attendit que chacun soit entré avant de dénicher un bout de banc dans la partie gauche de la nef.

Il retrouva l'odeur d'humidité, de vernis et d'encens qui avait meublé son enfance. L'église était pleine. Il sentait sur lui les regards des paroissiens. Le cercueil de chêne, qui lui parut trop grand pour un jeune de douze ans, était posé sur un catafalque. Posée sur un chevalet orné de fleurs, une photographie couleur montrait un Jonathan heureux, les yeux rieurs derrière les lunettes rondes qui lui avaient valu son surnom de « Harry Potter ».

Flottant dans son manteau de drap noir, Diane était debout dans le premier banc. À sa droite, son père, mains croisées, semblait absorbé dans la contemplation de la croix qui surmontait l'autel. À sa gauche, dans un veston de velours vert pomme, un homme replet, son unique frère sans doute, se balançait sur ses jambes. Derrière eux, Surprenant devina, à leur allure et à leur physique, des membres de la famille élargie, tantes, oncles, cousins, les plus vieux raides et sur leur trente-six, les plus jeunes en jeans et en vestes de cuir bon marché.

Deux bancs devant Surprenant, Jean-Claude Montreuil retenait ses larmes, soutenu par sa nouvelle conjointe, une jeune brune élégante, et par deux grandes adolescentes, probablement les demi-sœurs de Jonathan.

Les élèves de la classe de sixième année de l'école Saint-Denys-Garneau semblaient monopoliser l'avant gauche de la nef. Filles et garçons, de tailles très variables selon qu'ils soient ou non entrés dans leur tempête hormonale, portaient un brassard noir. Surprenant observa le reste de l'assemblée. C'était cela : tous les enfants de

Sainte-Catherine semblaient présents, comme si leurs parents avaient voulu leur prouver que la mort existait ailleurs que dans les films qu'ils louaient au club vidéo.

Le curé entama la cérémonie, sur un ton onctueux qui plongea le policier dans une torpeur méditative. Des proches se succédèrent au micro. Leurs phrases, lues d'une voix tendue, se réverbéraient sous les voûtes du temple. Jonathan, que Surprenant n'avait connu que sous la forme d'un cadavre au crâne éclaté, prenait vie. Il était cet enfant fantaisiste qui aimait jouer des tours, qui parlait un peu trop en classe, qui n'était pas le plus doué au soccer mais qui ne lâchait jamais, qui lisait de gros livres et qui voulait devenir acteur, comme son idole Johnny Depp.

Il était aussi cet enfant qui, le samedi soir précédent, avait quitté à bicyclette la maison de son ami Maxime Lessard, rue de l'Épervier, à Fossambault-sur-le-Lac. Sa mère, qui travaillait à son bar, lui avait demandé de rentrer avant vingt et une heures trente, comme d'habitude. Jonathan avait désobéi et avait quitté la maison des Lessard à vingt-deux heures quinze. Il avait effectué le trajet, un peu plus de trois kilomètres, des dizaines de fois. Avait-il roulé trop vite? S'était-il montré imprudent? Il n'était jamais rentré chez sa mère, route Montcalm, face à la rivière. À vingt-deux heures quarante-cinq, Diane avait appelé chez les Lessard, pour apprendre que son fils était parti depuis longtemps. Malade d'inquiétude, elle avait fait le tour des amis, était partie en auto à sa recherche, avait appelé la SQ, avait passé une nuit blanche, avait finalement découvert, à l'aube, en marchant le long de la route de Fossambault, une flaque de sang, des traces dans le gravier et ces morceaux de plastique noir, dont on déterminerait le lendemain qu'ils appartenaient à un rétroviseur latéral droit de Honda CR-V 2000 ou 2001.

Jonathan Gagnon était cet enfant qui s'était évaporé en même temps que sa bicyclette, ce fameux *petit gars de Sainte-Catherine* évoqué par les médias, ce cavalier dont on n'avait jamais retrouvé la monture, mais dont le corps était réapparu dans la rivière, mystérieusement, trois jours plus tard, en amont du lieu de l'accident.

Jonathan était le fils de la femme à qui lui, André Surprenant, sergent-enquêteur fraîchement réintégré dans les rangs de la SQ, avait promis, ce dimanche matin pluvieux, dans la voiture de police : « Nous allons le retrouver, madame. »

À défaut du fils vivant, il voulait maintenant coincer le chauffard, ce sinistre plaisantin. Six jours et demi après l'accident, il n'avait rien à montrer. Des policiers de Québec et des MRC de la Jacques-Cartier, de Portneuf et de la Chaudière avaient vérifié quatre-vingt-treize propriétaires de Honda CR-V, sans résultats. L'enquête de proximité, les signalements, les annonces dans les journaux, la traque des garages, des ateliers de débosselage, des marchands de pièces usagées n'avaient rien donné, si bien que Michel Bachand, son nouveau lieutenant, lui avait suggéré, d'un ton bienveillant mais ferme, de se consacrer à d'autres dossiers.

« Les disparitions, les *hit-and-run*, quand on ne trouve pas tout de suite... »

Surprenant sentit sa gorge se serrer. Diane Gagnon, blanche comme un spectre, marchait vers le micro. Tous savaient que Jonathan était son unique enfant. Tous savaient qu'elle vivait seule et avait passé l'âge de le remplacer, si cela avait même été pensable. Tous étaient émus par la force qui lui permettait, d'une voix qui ne tremblait qu'à peine, de lire ces phrases simples et senties, porteuses d'amour mais non de résignation. *Chemin... espoir... plaisir... amour...* De sa bouche, des mots s'échappaient et montaient vers les anges, les saints, les vitraux derrière lesquels la vie quotidienne continuait, comme la rivière, à couler. La douceur du timbre n'avait rien de rassurant : elle n'était que l'envers d'une violence contenue.

À quinze mètres de distance, Surprenant examinait le visage fin, amaigri, pâle, ces cheveux rebelles striés de gris qui mettaient en relief des yeux d'un gris changeant. Il avait vu ces traits de près, sur les lieux de l'accident, chez elle, à la morgue, une autre fois à son bar. Cette femme le touchait et, finalement, l'attirait. Ce n'était pas qu'elle soit si belle. C'était qu'elle souffrait. Lui rappelait-elle sa mère, elle aussi happée par un drame ? Une femme n'était véritablement belle à ses yeux que lorsqu'elle avait affronté une épreuve, ne fût-ce que le passage de l'âge. Ce penchant pour Diane Gagnon, aussi dangereux pour son couple que pour son travail, ne l'effrayait pas. Maintenant qu'il en était conscient, il pourrait s'en défendre et le considérer comme une autre donnée de l'affaire.

Pourtant quand, avec un art de tragédienne, Diane sortit les lunettes de Harry Potter de la poche de son manteau, ces lunettes qu'un technicien avait découvertes dans un fossé à dix mètres des lieux de l'accident, et qu'elle prononça le mot *regard*, Surprenant n'y tint plus. Il quitta son banc, puis l'église, le plus discrètement, mais aussi le plus vite qu'il put.

Le regard de Jonathan, pour lui, c'était cet œil droit exorbité qui fixait le vide avec une horreur muette.

Il retrouva la lumière du jour, comme un plongeur l'air libre.

Sainte-Catherine-de-la-Jacques-Cartier
Mardi, 11 octobre 2005

Dans un champ aride, sous les pierres,
on a déterré une femme noire, vivante,
datant d'une époque reculée et sauvage.

ANNE HÉBERT

3

My Foolish Heart

Le lendemain de l'Action de grâces, Surprenant se pointa au bar. Il jeta un coup d'œil à droite, à gauche, évalua la quiétude de l'établissement en cet après-midi nonchalant. En deux ans, c'était la sixième ou septième fois qu'il débarquait ainsi à l'improviste. Il reconnut quelques réguliers, Jules et son *Journal de Québec*, Pierre et Tom et leur partie de dames, Raymond — un castor empaillé — sur sa tablette au-dessus du comptoir. Sa curiosité satisfaite, il se tourna vers Diane et lui adressa un signe de tête.

Elle était troublée, comme d'habitude. S'il avait quelque chose de nouveau à lui apprendre, s'il ne revenait pas remuer les mêmes cendres, elle ne pourrait le lire sur ses traits impénétrables.

Il prit place au comptoir en l'observant de ses yeux sombres. Est-ce que cet homme l'inquiétait? Est-ce qu'il la rassurait? Elle savait qu'il avait une blonde, des enfants, qu'il s'était installé à Québec quelques mois avant la mort de Jonathan. Il lui avait confié un jour, elle ne se rappelait plus à quel propos, qu'il jouait du piano. Cet homme devait rire, blaguer de temps en temps, mais quand il entrait dans son bar avec sa veste noire, ses cheveux noirs, ses yeux noirs, il portait en lui, comme une eau visqueuse, la nuit et la mort.

— Vous faites honneur à votre nom, lui dit-elle en essuyant son bout de comptoir.

— Je passais.

Il savait que le 18 approchait.

— Je préférerais que vous appeliez avant de passer.

— La prochaine fois. Promis.

— Ça me met à l'envers, quand vous débarquez ici !

Son irritation avait percé, brusquement, sans qu'elle sût pourquoi.

Il essuya la salve, ferma les yeux, comme s'il s'excusait. Elle sentit pourtant que son attention avait redoublé.

— Vous avez repris des couleurs, observa-t-il calmement.

— C'est l'automne.

Il sourit. La tension diminua. Elle lui prépara son allongé. Sans sucre.

— Je n'ai rien de nouveau.

— Trois mois sans visite, je m'en doutais.

— Je voulais voir comment vous alliez.

Ce flic s'inquiétait pour sa santé, comme un ami. C'était ce genre d'homme.

— Je vais bien. J'ai rendez-vous avec mon chirurgien après-demain. Je suis sûre qu'il va me confirmer que je suis en rémission.

Il leva sa tasse pour célébrer l'événement.

— Vous n'êtes pas venu ici seulement pour voir si je vais bien.

Il sourit et fit semblant d'être perplexe. Elle s'ennuierait de lui.

— J'imagine que je voulais savoir si *vous* aviez quelque chose de nouveau.

C'était une de ses marottes. Il espérait que la mémoire de Diane ramène, comme un chalut, un nouvel élément.

La mort de Jonathan n'était peut-être pas un accident mais un meurtre prémédité. Le corps ne portait pas de signes de sévices sexuels, mais le séjour dans l'eau avait limité la portée de l'autopsie. Il lui avait demandé à deux ou trois reprises de faire un remue-méninges : se laisser aller à des associations libres, penser à des voisins, à des entraîneurs, à des professeurs, voire à de la parenté. Est-ce que quelqu'un, dans son entourage, lui paraissait louche ?

— Moi non plus, je n'ai rien de nouveau, dit-elle d'un ton sec. Vous savez comme moi que Jonathan s'est fait frapper par un chauffard. Deux ans plus tard, vous ne le retrouverez pas.

Il fixa son café, puis, par la fenêtre, le flamboiement des érables. Peut-être regrettait-il d'être venu la relancer ? Peut-être se demandait-il pourquoi sa visite, cette fois-là, l'irritait plus qu'elle ne la réconfortait ?

— Au lieu de me poser les mêmes questions, dites-moi plutôt, une fois pour toutes, pourquoi vous vous êtes tant intéressé à Jonathan.

— Le chauffard a d'abord ramassé le corps, puis l'a laissé à un endroit où il allait être retrouvé. Pourquoi ?

Il tergiversait. Ils avaient déjà abordé l'histoire sous cet angle, cinq fois, dix fois. Ce qu'il n'osait pas lui dire, c'était qu'il s'acharnait sur l'affaire à cause d'elle. Il la trouvait de son goût, même avec un sein en moins. C'était aussi ce genre d'homme.

Autant trancher les liens.

— Écoutez ! Je combats le cancer ! Je n'ai plus d'énergie à perdre à essayer de comprendre ce qui s'est passé dans la tête de celui qui a frappé mon gars !

Cette fois, elle avait donné libre cours à sa colère. Jules leva le nez de son journal. Les joues rouges, Diane lui fit signe de la main. Ce flic ne l'importunait pas, même s'il lui mettait les sangs à l'envers en remuant le passé. C'était cela : la mort de Jonathan, aussi douloureuse qu'elle puisse être, appartenait au passé. Le passé, c'était mort, aussi mort qu'une perdrix dans un cipâte.

— Désolé, prononça Surprenant en ne la quittant pas des yeux.

— Vous n'avez pas à être désolé. Excusez-moi si je me suis emportée. Ce que je veux, c'est vivre. Jonathan n'est plus dans la vie. Il est de l'autre bord, dans la mort.

Elle mentait. Jonathan n'était pas de l'autre bord, dans la mort. Il était en elle, une douleur qu'elle tentait toujours d'apprivoiser.

Muet, il termina son café.

— J'ai une bonne nouvelle à vous annoncer, reprit-elle. Savez-vous quoi ? Je me marie.

Les yeux noirs flambèrent brièvement.

— Félicitations !

L'enthousiasme de Surprenant masquait un reproche. Elle ne lui avait jamais parlé de Pierre. Cette relation improbable, qui avait mûri lentement, relevait de la partie ensoleillée de sa vie. Surprenant, lui, était dans l'ombre, en compagnie de Jonathan et du cancer. Parlait-on de ses amours à un policier ?

Il ne la questionna pas, se contentant de répéter que c'était une bonne nouvelle. Elle se sentit quand même obligée d'évoquer son fiancé en quelques phrases, la cinquantaine, divorcé, grands enfants, cardiologue, semi-retraite, voyage dans le Sud, chalet.

Surprenant sourit et se leva.

— Je suis vraiment content de vous voir heureuse comme ça.

Noir contre le jour jaune, il lui adressa un sourire qui se voulait cordial mais qui la déstabilisa. Son œil perçant lui signalait qu'il n'était pas dupe. Elle pouvait prétendre ce qu'elle voulait, elle pouvait crier sur tous les toits qu'elle avait tourné la page, elle pouvait refaire sa vie avec un survenant improbable, il savait que tout son être, que toutes ses cellules, les saines et les malades, réclamaient toujours leur vengeance.

* * *

Surprenant quitta le bar et choisit de retourner à Lac-Beauport en longeant la Jacques-Cartier. Au sortir du village, la rivière, ranimée par de récentes pluies, scintillait sous le soleil de quinze heures. Malgré la beauté du paysage et l'imminence de la fin de son quart de travail, sa visite au bar *Chez Raymond* lui avait laissé une impression de malaise.

L'éclat de Diane n'était pas en cause. Au cours des deux dernières années, il avait eu l'occasion de mieux la connaître. Impulsive, sensible au rejet, parfois revendicatrice, elle n'était pas d'un commerce facile. Son cancer du sein l'avait quelque peu amadouée. Comme un animal blessé, elle s'était retirée en elle-même pour guérir ses plaies.

Cet après-midi-là, elle avait dit ou fait quelque chose qui avait fait scintiller, dans sa mémoire, un voyant. *Savez-vous quoi ? Je me marie.* Après deux unions qui avaient tourné en queue de poisson, après la perte de son fils, après la chirurgie et la radiothérapie, elle avait rencontré, un sein en moins, à quarante-six ans, l'amour. Plus qu'heureuse, elle paraissait étonnée. Surprenant viendrait-il encore la visiter au chic bar *Chez Raymond* ? Probablement que non. Son rôle de défenseur de la veuve et de l'orphelin était terminé.

Santerre avait raison : s'il s'était acharné sur cette enquête, c'était que la mère était jolie. Que son collègue l'ait perçu constituait pour lui une raison supplémentaire de s'en détacher.

Surprenant doubla un pick-up chargé de bois de chauffage. La source de son malaise était claire : l'annonce du mariage de Diane confirmait qu'il avait encore une fois mêlé travail et sentiments. Devant un cottage, un rentier en chemise faisait brûler des feuilles. Surprenant abaissa la vitre de sa portière et capta le parfum qu'il adorait et détestait à la fois, l'odeur sucrée des feuilles mortes. Chaque année, leur odeur réveillait chez lui des souvenirs de la disparition de son père.

À Lac-Beauport, il monta directement à son bureau.

Luc Santerre, l'*autre* sergent-enquêteur, faisait partie de l'escouade depuis près de dix ans. Montréalais de naissance, il avait choisi de rester dans ce poste d'importance intermédiaire alors que son ancienneté et ses états de service lui auraient permis d'obtenir des promotions ou de retrouver sa région natale. Célibataire, taciturne, habitant chez une veuve dont il était devenu le bâton de vieillesse, il constituait le sujet de conversation numéro un dans la salle à café. Que faisait-il de ses soirées ? De ses week-ends ? Ses penchants étaient-ils féminins, masculins, inexistants ? On lui connaissait deux intérêts : le ski de fond et la Deuxième Guerre mondiale. Les jours de congé, de novembre à avril, il sillonnait inlassablement le plateau laurentien, du matin au soir, avalant de sa glisse puissante des distances considérables. Conjugués à ses habitudes sylvestres, son long visage, ses oreilles énormes, ses sourcils broussailleux lui avaient valu de se faire surnommer l'« Orignal ». Quant à sa passion pour l'histoire militaire, elle se manifestait surtout lors de ses pérégrinations en Europe. Il avait visité Dunkerque, Cassino, Saint-Pétersbourg et Auschwitz. Il connaissait les cimetières de soldats comme le fond de sa poche.

Ce mardi-là, l'Orignal broutait tranquillement dans son habitat naturel, c'est-à-dire derrière son bureau. Si Santerre consacrait ses loisirs au plein air, il passait la majeure partie de son temps de travail au poste, entre ses classeurs et sa machine à espresso, à produire des rapports, à convoquer des témoins et, selon son expression, à « faire parler les faits ». Cette occupation de leur espace commun et l'ancienneté de Santerre avaient pour conséquence que Surprenant avait presque l'impression de déranger son collègue, dont il n'était nullement le subalterne, quand il prenait légitimement place derrière son bureau.

— Ça va, André ?

— Très bien. Et toi ?

— Vol de commerce. Drogue à l'école. La routine.

— Ah !

La dernière affaire de Surprenant aux Îles-de-la-Madeleine lui ayant mérité une période de disgrâce, il avait fait de louables efforts pour améliorer ses relations avec ses pairs depuis qu'il avait réintégré la Sûreté. Dans cette optique, il avait invité Santerre à souper à deux occasions et l'avait même accompagné en ski de fond à Duchesnay. Les trois expériences lui avaient permis de constater que leurs penchants philosophiques, de la même façon que leurs postes de travail, s'opposaient. Santerre observait l'existence d'un point de vue rationnel qui confinait au cynisme. Surprenant se laissait guider par ses intuitions et cherchait chez tout suspect la *faille*, le défaut dans l'armure qui lui permettrait, en plus de résoudre son affaire, d'approfondir sa connaissance de l'âme humaine et, accessoirement, de combattre ses propres démons. Par ailleurs, après plus de deux ans de collaboration, Surprenant avait appris à apprécier son collègue. À défaut d'être imaginatif, Santerre était honnête. Au contact de Surprenant, l'Orignal commençait même, de façon quasi émouvante, à émailler son discours d'observations qui pouvaient ressembler à de l'humour.

Toujours habité par son malaise, Surprenant lut et classa quelques mémos, puis glissa son fauteuil vers son classeur. Du tiroir inférieur, il tira ses notes concernant la mort de Jonathan Gagnon.

Santerre, qui l'observait du coin de l'œil, se racla la gorge, tic qui signalait chez lui l'intérêt.

— Je suis passé voir Diane Gagnon. Elle va se marier.

Santerre accueillit la nouvelle avec un haussement des sourcils.

— Qu'est-ce qu'il y a ? demanda Surprenant.

— Rien. Je ne savais pas qu'elle avait un ami. Si tôt après ses malheurs, c'est un peu… *surprenant.*

Tandis qu'il songeait que l'Orignal, ce jour-là, était en verve, Surprenant passait son pouce sur la tranche de la pile de documents, comme s'il refaisait le chemin parcouru pendant l'enquête. Les photos de la route, les témoignages des voisins, de la parenté, les listes des propriétaires de Honda CR-V, les rapports d'expertise… Il avait consacré des centaines d'heures à cette histoire, sans résultat.

— Je te l'avais dit, reprit Santerre sur un ton plus neutre. Si on ne trouve pas tout de suite, on a peu de chances de réussir. Mais…

— La mère était jolie, je sais.

— Je te signale que tu parles au passé.

Sidérant, le Santerre, ce jour-là. Surprenant posa le dossier sur le coin droit de son bureau et se concentra sur des tâches administratives. Le jour déclina rapidement. Santerre quitta à seize heures pile. Surprenant traîna au poste une demi-heure, fit quelques provisions à l'épicerie, acheta une bouteille de pinot grigio à la Société des alcools et emprunta l'autoroute en direction de Québec.

La lune se levait au-dessus de Lévis.

The night is like a lovely tune
Beware, my foolish heart

À la radio, Astrud Gilberto chantait avec une mélancolie rêveuse. Il ouvrit grands les yeux, fixant la route d'un air absent. Il n'avait pas rêvé. Diane avait bien dit: «Il n'est pas trop *straight* pour un cardiologue.»

Le voyant qui clignotait quelque part dans son cerveau passa au rouge.

4

Une ombre dans le château fort

Dès son arrivée, Surprenant se précipita vers le piano et s'affaira à trouver les accords de la chanson qui accompagnait ses pensées depuis cinq minutes.

— André! cria Olivier, qui avait entrepris ses devoirs devant la télévision.

Son pianotage faisant l'objet de taquineries au sein de la maisonnée, Surprenant alla fermer la double porte qui isolait la salle de télévision et revint s'installer au clavier. *Si* bémol, *mi* bémol majeur septième... Combien y avait-il de cardiologues dans la région de Québec?

Un miaulement le tira de sa rêverie. Chat, stationné près de son bol, réclamait sa pitance. Surprenant se changea et cuisina une chaudrée de palourdes. En deux ans, la maison, dont Geneviève et lui étaient maintenant propriétaires, avait fait l'objet de plusieurs rénovations. Avec patience et passion, Geneviève avait transformé le modeste *split-level* de banlieue en un foyer agréable, que Surprenant avait surnommé le « château fort ».

Dès son retour du travail, Geneviève détecta sa fébrilité.

— Ça va?

— Première classe.

— Tu es sûr ?

— Mais oui.

L'intuition de Geneviève n'était paradoxale que lorsqu'on l'opposait à son côté raisonnable. Ses traits réguliers et volontaires, son corps sculpté par les arts martiaux, son allure sobre lui conféraient, à première vue, le profil convenu de la jeune policière : une amazone imbue de principes forts, immuables, évoluant dans un monde d'hommes, précocement endurcie par la fréquentation du danger. Surprenant, qui avait toujours associé l'intuition à une certaine nébulosité de l'âme, avait fini par comprendre que c'était lui qui faisait preuve de rigidité. L'intelligence de Geneviève opérait selon un principe continu, naturel, du pragmatisme pur à la prescience diabolique, tandis que la sienne, encombrée d'idées reçues, fonctionnait par à-coups. Il passait du rationnel à l'intuitif comme on change de vitesse : il y avait toujours un heurt, un décalage, un grincement désagréable, qui expliquait peut-être pourquoi ses supérieurs, et parfois ses proches, le considéraient comme un être charmant mais imprévisible.

Geneviève l'observait, tout en prenant la première gorgée de l'unique verre de vin qu'elle se permettait les soirs de semaine. Elle avait, contre l'avis de Surprenant, troqué sa belle natte pour une coupe au carré. Il avait fini par convenir que son visage semblait plus rond, plus jeune malgré les quelques cheveux blancs qui s'y glissaient.

Ils observèrent leur trêve rituelle jusqu'au moment où ils s'installèrent à leur poste d'observation du boudoir.

— Je suis passé chez Diane aujourd'hui, commença-t-il.

— Elle va bien ?

— J'ai presque envie de dire qu'elle va trop bien. Elle se marie.

— Se marier ? Quelle drôle d'idée !

La boutade recouvrait un contentieux. Surprenant, qui versait toujours une substantielle pension à son ex, accueillait la perspective d'une deuxième union légale avec un enthousiasme si minimal que Geneviève prenait un malin plaisir à le travailler au corps.

— Quelle drôle d'idée, en effet. Je l'ai vue en mai, en juillet. Elle ne m'a jamais dit qu'elle avait un copain.

Les jambes repliées sous elle, le menton calé dans la main, Geneviève souriait.

— Quatre ans plus tard, tu m'étonnes toujours. Pourquoi Diane t'aurait-elle confié qu'elle avait un copain?

— Je croyais qu'on avait tissé certains liens, pas de l'amitié, mais quelque chose…

Surprenant laissa sa phrase en suspens. Habituée à ces pannes, Geneviève prit une gorgée d'eau et attendit. À leur droite, sur le cap Diamant, les lumières de la haute-ville s'interrompaient au-dessus du fleuve. De la même façon, une idée nouvelle venait de couper le fil de la pensée de Surprenant.

— Elle m'a dit que son copain est cardiologue.

— Et?

— Parmi les propriétaires de CR-V, je crois qu'il y avait un cardiologue.

— Tu n'imagines quand même pas que…

— Je n'imagine rien.

— André Surprenant! Tu imagines que le nouveau copain de ta Diane est le gars qui a écrasé son fils il y a deux ans. C'est monstrueux!

— Je suis certain qu'il y avait un lien avec un cardiologue, répéta-t-il sans se démonter.

Feux allumés, un paquebot de croisière passait la pointe de l'île. Geneviève soupira.

— Tu n'as quand même pas parlé de tes soupçons à Diane?

— Je ne suis pas idiot. Je vais vérifier demain, c'est tout.

— Je peux te dire une chose : si un homme me courtisait en me cachant qu'il est responsable de la mort d'un de mes enfants, je le tuerais. C'est monstrueux.

L'adjectif résonna une deuxième fois dans l'atmosphère feutrée du salon.

— Pourquoi es-tu incapable de classer cette enquête ? C'est une question de justice ou d'ego ?

Surprenant ne répondit pas. Sa blonde pénétrait dans une zone non sécurisée. Elle lui avait quelquefois laissé entendre qu'il consacrait beaucoup de temps à sa propre personne. Elle avait même, sous le couvert de la plaisanterie, employé le mot *narcissique*. L'adjectif l'avait heurté. Il se considérait comme un homme qui accomplissait un travail ingrat, tout le contraire d'un bellâtre s'admirant dans une mare. Geneviève avait précisé sa pensée : son rôle de protecteur, endossé d'abord envers sa mère, puis envers la société, n'était pas désintéressé, mais plutôt le reflet d'un besoin d'amour et de considération. Ce rôle lui pesait, l'alourdissait. S'il voulait être heureux, libre d'aimer, il devait se libérer de cette ombre.

Ce soir-là, devant la vitre qui lui renvoyait son image, il dit :

— Le monstre, finalement, c'est moi ?

— Le plus beau monstre que je connaisse.

— Ce n'est pas une question d'ego. Je trouve bizarre qu'une propriétaire de bar de quarante-six ans, plutôt cassée et amputée d'un sein, trouve soudainement l'amour auprès d'un cardiologue.

Geneviève eut un mouvement de recul.

— Si je perdais un sein, est-ce que tu m'aimerais moins ?

— Toi ? Je t'aimerais même pas de tête !

— Je ne sais pas si tu réalises à quel point tu peux paraître borné ! En tout cas, si j'étais toi, j'oublierais cette histoire de cardiologue.

Il y eut un silence. Surprenant se tourna vers Geneviève. Son visage exprimait une indéniable tristesse.

— Qu'est-ce qu'il y a ?

— Tu t'acharnes sur cette affaire.

— C'est normal.

— Non.

— Explique.

— C'est quelque chose que je ne devrais pas avoir besoin de t'expliquer !

Surprenant, interdit, affronta ce fait nouveau : dans la sécurité de son château fort, sa sereine amazone n'était pas à l'abri de la jalousie. Quand elle lui conseillait de ne pas explorer plus avant son hypothèse, Geneviève lui témoignait plus que son amour de terre-neuve. Elle l'avertissait du danger, l'exhortait à la prudence, mais aussi, malgré son apparente solidarité avec cette mère qui avait perdu son fils à la suite d'un délit de fuite, elle lui demandait de se détacher d'une femme qui l'obsédait.

Que Diane se soit immiscée entre eux, sans qu'il ne soit en aucune occasion sorti de son rôle d'enquêteur, était symptomatique d'un malaise plus profond. Geneviève, comme l'avait fait auparavant son épouse Maria, lui demandait d'être plus *présent*. Ils cohabitaient depuis plus de deux ans. Il s'acquittait de son rôle de conjoint, de substitut paternel auprès de ses enfants. Geneviève sentait pourtant qu'il gardait un pied dans la porte. Il pouvait disparaître, comme son père, n'importe quand.

— Je suis là, Geneviève.

Comme un arbitre de sport de combat, il demanda le bris en prenant sa main et en en grattant la paume.

— Je sais.

Conjurant l'accrochage, ils parvinrent à réintégrer un espace mitoyen en parlant des rénovations et des enfants. Une heure plus tard, ils faisaient l'amour avec soulagement, heureux de constater que leur entente conservait son élasticité : le rapprochement suivait l'éloignement, avec une rassurante symétrie.

Geneviève, une couche-tôt, ronflait délicatement pendant que Surprenant réfléchissait sous le halo bleuté d'une lune croissante.

« Monstrueux »... Son hypothèse ne reflétait peut-être que son désir de sortir d'une routine ennuyeuse. Il existait, entre le chasseur et sa proie, un rapport complexe. Il rêvait, comme tout le monde, de rencontrer et de tuer son ombre.

5

Le numéro 68

Je conduis une voiturette de golf le long d'une rivière bordée d'épinettes rouges et de villages aux maisonnettes basses. Je suis tout jeune, encore en culottes courtes. Diane est à mes côtés, tragique avec ses yeux violets, ses sourcils de neige, ses joues creuses et son cou écorché dont je vois battre, à nu, les artères.

Geneviève se retourna, déposa son bras odorant sur le thorax de Surprenant. Parfois il avait l'impression qu'elle l'accompagnait jusque dans ses rêves. Il se leva. Le rez-de-chaussée baignait dans la lumière roussâtre que réfléchissaient les cuivres suspendus au-dessus de l'îlot de la cuisine. À l'est, derrière l'île, un liséré orange annonçait le jour. Un vent mauvais brassait les feuilles entre les chaises du patio.

Il fit du café, mit un trio de Mozart et retrouva son fauteuil préféré dans le salon. Chat sauta sur celui de Geneviève et leva vers lui ses prunelles insondables. Surprenant se sentait fébrile, anxieux, comme s'il avait passé la nuit à mettre de l'ordre dans ses pensées. Après quelques heures de sommeil, son impression de la veille avait moins de netteté. Que le fiancé de Diane Gagnon figure sur la liste des quatre-vingt-treize propriétaires de Honda CR-V relevait du délire ou de l'hallucination. Que le mot « cardiologue » apparaisse quelque part dans un rapport semblait plus plausible. Et encore...

Le trio du copain Amadeus déroulait ses arabesques, le soleil tentait de soulever un ciel de plomb, Surprenant se doucha et prépara le petit-déjeuner pour toute la famille. Le geste, habituellement réservé aux week-ends, lui valut un regard inquisiteur de la part de Geneviève. Sans savoir s'il avait déjoué les soupçons de sa conjointe, Surprenant quitta la maison et se hâta vers le poste.

Sept heures quarante. Il s'enquit pour la forme des événements de la nuit et gagna son bureau. Santerre était encore au large, sans doute occupé à prendre le thé avec sa logeuse. Il sortit le dossier de Jonathan Gagnon des archives et chercha les trois pages constituant la liste des propriétaires de CR-V. Jaillirait-il, dans sa mémoire, une étincelle entre un de ces noms et le mot « cardiologue » ? Une Ghislaine Jolicœur provoqua un bref émoi. La dame de quarante-six ans, mariée à un électricien de Charny, n'avait rien à voir avec Diane Gagnon.

Surprenant soupira. L'affaire dormait depuis trop longtemps. L'envie lui vint de relire le dossier depuis le début. Il survola les premières pages, qui concernaient les circonstances de l'accident et les interrogatoires des proches.

Rapport du laboratoire, daté du lundi 20 : les débris découverts sur l'accotement provenaient du rétroviseur latéral droit d'un Honda CR-V modèle 2000 ou 2001, de couleur grise. Sur certains on avait retrouvé des fragments de cheveux. Des rapports ultérieurs devaient confirmer que ce matériel humain et les prélèvements de la flaque de sang concordaient, puis, une fois le corps retrouvé, qu'ils appartenaient à Jonathan Gagnon.

Les vérifications auprès des propriétaires de CR-V avaient commencé dès le mardi. L'entreprise, dès l'abord, paraissait relativement futile : en soixante heures, le coupable avait eu le temps de faire remplacer son rétroviseur, possiblement de procéder à d'autres réparations si nécessaire. Une première liste avait été dressée, on avait procédé du centre vers la périphérie. Surprenant avait lui-même rencontré dix-neuf propriétaires, les autres ayant été assignés aux collègues du secteur de la Jacques-Cartier, puis à ceux de Portneuf, de Québec et de Chaudière-Appalaches. Le CR-V était un véhicule populaire, les possibilités étaient nombreuses, le coupable pouvant provenir de l'extérieur de la région. Il fallait tracer une ligne quelque part. Michel Bachand lui avait ordonné de s'en tenir à cette liste de quatre-vingt-treize noms.

Aujourd'hui, Surprenant pouvait encore restreindre son champ d'investigation. Des quatre-vingt-treize, il déduisit les dix-neuf propriétaires dont il s'était chargé lui-même, et quatorze femmes. Restaient soixante noms. Le reste n'était qu'une question de patience.

L'Orignal fit son apparition au moment où il éliminait un cinquième candidat.

— Encore dans le dossier du petit gars ?

Surprenant acquiesça d'un grognement tout en méditant sur le rôle de la victime dans la caractérisation d'une affaire. Il n'y a sans doute pas d'âge idéal pour se faire happer par un Honda CR-V. Quand on a douze ans, qu'on revient à bicyclette de la maison d'un ami, on attire plus de sympathie qu'un récidiviste qui brûle un feu rouge en sortant d'un bar de danseuses. Ce délit de fuite avait été d'emblée l'affaire du *petit gars de Sainte-Catherine*.

— À part le fait que la mère se marie, qu'est-ce qui t'a remis sur la piste ? insista Santerre.

Après une hésitation, Surprenant lui confia son histoire de cardiologue.

Santerre se fendit d'une moue dubitative, puis suggéra :

— Tu n'as qu'à obtenir le nom du fiancé de Diane.

— Laisse-moi faire ! C'est ma méthode.

— Les spécialistes du cœur, il n'en pleut pas. Veux-tu que je te trouve les noms de tous les cardiologues de la région, avec leurs adresses ?

Tout en reconnaissant que l'approche de Santerre était plus rationnelle que la sienne, Surprenant le remercia et déclara qu'il allait se débrouiller.

— J'ai compris, j'ai compris, le taquina Santerre.

Surprenant ne s'y trompa pas : il avait de nouveau blessé son vis-à-vis. Si certains policiers polluaient l'atmosphère d'une équipe en y étalant leurs problèmes personnels, d'autres la perturbaient en y investissant, faute de conjoint, d'enfants, de famille ou d'amis, toute leur affectivité.

L'Orignal se fit un café, fourragea quelques minutes dans ses dossiers avant de s'éclipser. Surprenant dépista son suspect une heure et demie plus tard. Le détail était là, au numéro 68. Un rapport de Martine Proulx, une agente de la police municipale de Québec, mandatée pour vérifier le véhicule de Pierre Parent, cinquante-trois ans, domicilié au 1052 Moncton, dans le quartier Montcalm. Le mardi 21, à dix heures trente, elle trouve son appartement vide. Le voisin du bas lui apprend que le Dr Parent est cardiologue au CHUL. Joint à son travail, le médecin lui dit qu'elle peut inspecter le CR-V dans son garage, qui n'est pas verrouillé. L'examen révèle que le véhicule est muni de ses deux rétroviseurs et « ne porte pas de marques d'accident récent ». Mieux, le médecin lui dit qu'il soupait chez un ami dans Charlevoix le soir du 18. Martine Proulx, en policière consciencieuse, vérifie auprès de l'ami, un autre médecin, nommé Claude Duchesneau, qui confirme la présence de Parent chez lui ce jour-là.

Excité par sa découverte, mais refroidi par le rapport de sa collègue, Surprenant tenta de joindre Martine Proulx. La policière serait en service le soir. Il tenait un bout de piste. Mais comment s'en assurer sans alerter Diane? *Savez-vous quoi? Je me marie.* Un mariage, civil ou religieux, doit être publié. Des appels faits au presbytère de Sainte-Catherine et au palais de justice lui apprirent que le mariage n'était pas annoncé à ces endroits. Surprenant ne possédait qu'une antenne valable dans l'entourage de la fiancée: Francine Duff, son amie.

Il l'appela à la caisse populaire de Saint-Raymond, où elle était conseillère en gestion. Il l'approcha par la bande, s'informant de la situation financière du propriétaire d'un garage qui avait mystérieusement brûlé, trois semaines plus tôt, à Shannon.

— Vous savez bien que je ne peux pas vous communiquer ces informations, sergent.

— Je sais que vous pouvez quand même me donner une idée.

Surprenant se remémora la femme qu'il avait croisée deux ans plus tôt: une grande noire aux yeux d'ébène, maquillée et coiffée avec goût. La banlieue nord de Québec était un petit monde. De diverses sources, dont quelques allusions de Diane, Surprenant avait cru comprendre que Francine Duff n'avait pas fait montre, dans sa vie personnelle, de la sûreté de jugement qui caractérisait son travail de gestionnaire. À son tableau, elle affichait un divorce, quelques variations sur le thème de la famille recomposée, enfin une aventure assez publique avec le jeune maire de Saint-Raymond, bipolaire flamboyant, à propos duquel Diane Gagnon, qui possédait un baccalauréat en lettres, avait employé l'expression «mec archétypal».

Il la sonda une ou deux minutes au sujet du garagiste de Shannon, puis évoqua sa visite de la veille à Sainte-Catherine.

— Diane ne m'avait jamais parlé de ce cardiologue.

Surprenant perçut une hésitation chez son interlocutrice.

— Où voulez-vous en venir, sergent?

— Madame Duff, vous savez peut-être que les policiers, en vieillissant, deviennent paranoïaques?

— Dans mon souvenir, vous n'êtes pas très vieux.

— Vous avez rencontré le... fiancé de Diane?

— À quelques reprises. Il est charmant.

— Je n'en doute pas.

— Alors de quoi doutez-vous?

— Pouvez-vous me dire son nom?

— Pas avant que vous n'ayez répondu à ma question.

— Si vous hésitez, c'est que vous partagez d'une certaine façon mes doutes.

Silence.

— Dans la liste des propriétaires de CR-V, il y a un cardiologue, lâcha Surprenant.

— Pierre Parent.

— Pierre Parent, c'est ça.

Il perçut un soupir.

— Êtes-vous libre en fin de journée, sergent?

6

La peau du juge

Surprenant consacra une partie de l'après-midi à interroger le passé du citoyen Parent.

Le médecin s'était porté acquéreur du 1052 Moncton en avril 2003. Le fichier de la SAAQ se révéla utile : Pierre Parent, né le 29 octobre 1950, utilisait deux véhicules, un Nissan Pathfinder 2004 de location et une BMW 2002. Le Honda CR-V ne faisait apparemment plus partie de sa flotte.

Diplômé de l'Université Laval, Parent était inscrit au tableau du Collège des médecins depuis 1974. En 1980, il était reçu cardiologue, avec une surspécialité en pédiatrie. Une recherche sur Internet fit surgir plusieurs liens. En 1995, il avait lancé un programme de détection des maladies lipidiques chez les enfants. Une photographie le montrait, dominant de sa haute taille quelques collègues plus jeunes. Cheveux poivre et sel abondants, paupières tombantes, lippe lourde, un brin ironique, il faisait songer, avec son veston de tweed et ses membres interminables, à un aristocrate anglais dans un film de James Bond. Dans une autre fenê-tre, il posait, Tilley sur le crâne, au milieu d'enfants noirs à Libreville : l'éminence faisait aussi, semblait-il, dans la coopération internationale. Plus loin, son nom apparaissait parmi les administrateurs de l'orchestre symphonique. Articles dans des revues de cardiologie, mentions parmi les professeurs de la Faculté de médecine, interviews à Radio-Canada, Pierre Parent était tout sauf un obscur spécialiste faisant la navette entre son manoir et l'hôpital.

Si Surprenant ne le connaissait pas, c'est qu'il n'était arrivé à Québec qu'en 2002. Les références à Parent, d'ailleurs, se faisaient rares après 2003, comme s'il était disparu de la vie publique. *Après la mort de Jonathan*, pensa Surprenant. Il leva la tête. Dehors, les branches des aulnes qui bordaient la rivière Jaune se balançaient sous un vent aigre. Il imagina les feuilles emportées par le courant, franchissant les tourbillons, les remous pour aller se coincer dans les anfractuosités des roches où elles allaient hiverner avant d'être emportées par la débâcle. En pourrissant, elles se mêleraient au sédiment brunâtre qui tapissait le fond de la rivière. Si Parent était l'homme qui avait tué accidentellement Jonathan deux ans plus tôt, il n'avait, comme les feuilles, qu'à laisser sa faute se déposer dans la boue du mystère.

Surprenant et Francine Duff avaient convenu de se rencontrer à dix-sept heures au *Temps perdu*, sur l'avenue Myrand. Il s'y pointa en avance, commanda une pinte de Guinness, qu'il entreprit de déguster en observant les universitaires qui constituaient l'essentiel de la clientèle du café. La conseillère en placements arriva avec dix minutes de retard, son corps moulé dans un sobre tailleur qui devait rassurer les investisseurs de Portneuf.

À peine assise, elle consulta sa montre et appela le serveur.

— Je suis morte de faim. Je vais au cinéma à six heures. Nous n'avons pas de temps à perdre.

— Tant mieux, mes enfants m'attendent pour souper.

— Vos enfants ? Plutôt ceux de votre blonde !

— Vous êtes bien informée.

— Votre voisine, Marielle Thibodeau, a de la jasette, et un chalet au lac Sergent.

— Heureux de l'apprendre.

Après cette entrée en matière, qui ne devait guère différer du baratin qu'elle utilisait pour mettre ses clients à l'aise, Francine Duff passa sa commande et entra dans le vif du sujet.

— Qu'est-ce que vous avez contre Pierre ?

— Rien. Je suis en face d'une coïncidence un peu… troublante. J'aimerais en savoir davantage à son sujet.

— Et vous comptez sur moi pour vous renseigner ?

— Pourquoi pas ?

— Alors, donnant-donnant. Je parlerai quand vous m'aurez dit tout ce que vous savez.

Surprenant hésita, avant de comprendre que Francine Duff et lui étaient des alliés objectifs. Si elle négociait âprement, c'était qu'elle voulait elle aussi protéger Diane. En quelques phrases, il mit la femme au courant de ses soupçons des dernières heures. Dehors, la nuit tombait. Après avoir englouti un premier verre de muscadet, Francine Duff conclut :

— Au fond, vous n'avez rien. Pierre possédait le même type de véhicule que celui qui a frappé Jonathan. Le CR-V n'était pas accidenté, Pierre avait un alibi. Vous n'avez rien du tout.

— Pourquoi êtes-vous ici, alors ?

Une salade au poulet et aux agrumes atterrit devant son interlocutrice, qui profita de l'occasion pour réfléchir.

— Parce que vous êtes peut-être assez fou pour faire exploser l'existence de ma meilleure amie.

Francine Duff, dans une autre vie, aurait été une excellente comédienne. Surprenant observa les yeux noirs, intelligents, le frisson d'indignation qui parcourait des traits altiers qui n'étaient pas sans rappeler, malgré son nom irlandais, Irène Papas. Cette femme plaidait sa cause, mais nourrissait des doutes.

— Parlez-moi de ce Pierre, demanda Surprenant en appuyant sans vergogne sur ce prénom qu'elle utilisait avec familiarité.

— Il a commencé à venir faire son tour au bar l'an dernier.

— Quand, précisément?

— En octobre, je dirais. Il a acheté un chalet au lac Sept-Îles. Il arrêtait à Sainte-Catherine une ou deux fois par semaine, soit en montant de Québec, soit en y retournant.

— Célibataire?

— Divorcé, comme les autres. Il a un garçon et une fille, elle aux États-Unis, lui en Europe, à compléter des résidences ou des doctorats.

Surprenant perçut, dans cette dernière précision, une pointe d'envie. Quelle qu'avait été la vie de Francine Duff avant qu'elle ne devienne conseillère financière à la caisse populaire de Saint-Raymond-de-Portneuf, il soupçonnait qu'elle n'avait pas eu la chance de parfaire des études universitaires à l'étranger.

— Qui a fait les premiers pas?

— Lui, c't'affaire! Pensez-vous que Diane avait l'âme à la galipette? C'est une relation qui a débuté lentement. Comment dire? Organiquement. Au bout de quelques semaines, il l'a invitée à souper. Je m'en souviens, c'était le 25 novembre, le jour de la Sainte-Catherine. Elle n'en revenait pas.

— Pourquoi?

— Elle était en deuil. Elle avait une cicatrice sur le thorax. Tout le monde au village la traitait comme une convalescente. Et là, ce beau ténébreux qui débarque de la ville et qui lui cuisine du poisson à je sais pas trop quoi et qui lui fait danser la samba devant le lac Sept-Îles…

— La samba! ne put s'empêcher de souligner Surprenant qui était un danseur atroce.

— Diane n'est pas une dinde. Elle était sur ses gardes. Première classe, le monsieur. À la fin de la soirée, il l'a reconduite gentiment à la chambre d'amis.

— Très organique.

— Ça a pris un mois avant qu'ils couchent ensemble! Un mois!

À observer la vitesse avec laquelle Francine Duff descendait son muscadet et sa salade, le policier ne douta pas qu'elle eût mis moins de temps à succomber au ténébreux. Le récit de la relation naissante entre le cardiologue et la propriétaire de bar suivit un fil prévisible, la multiplication des rendez-vous, les fins de semaine partagées, le premier voyage dans le Sud, le tout culminant dans cette demande formelle en mariage, cette bague proposée et acceptée, trois semaines auparavant.

Quand elle fut rendue au café, quand il eut vidé une deuxième pinte, Surprenant laissa planer un silence. Elle passa à l'offensive.

— Qu'est-ce que vous savez de Diane?

— C'est une femme courageuse, intelligente, entière. C'est une femme honnête.

L'expression parut déplaire à Francine Duff, qui tourna les yeux vers la rue en cherchant ses mots.

— Être honnête, c'est bien. Être heureux, c'est mieux. Diane est une femme *heureuse*, à l'heure où je vous parle, sergent Surprenant. Votre histoire ne tient pas debout. Laissez-la tranquille!

* * *

En sortant du *Temps perdu*, Surprenant téléphona à la gardienne et lui demanda de prolonger son quart jusqu'à l'arrivée de Geneviève. L'esprit dégagé, il roula jusqu'au boulevard René-Lévesque et tourna à gauche en direction est. La pluie avait cessé. Dans son rétroviseur, le ciel des Laurentides hébergeait quelques stries violettes. Passé le collège Saint-Charles-Garnier et l'avenue Belvédère, il pénétra dans le calme ouaté du quartier Montcalm. Érables centenaires, balcons ouvragés, impostes en vitrail, linteaux de granit, cachet *british* que renforçaient les patronymes des compagnons de Wolfe, il retrouvait le havre des nantis.

Il prit l'avenue Moncton à sa droite. Parent habitait au 1052, entre Fraser et Grande Allée, à cent mètres des Plaines. Le cottage de briques brunes, orné d'une tourelle, était flanqué d'un escalier qui, bien qu'élégant, était un ajout : la maison avait été scindée en condos. Une poussette était stationnée sur le perron. Parent habitait l'étage. Surprenant fit le tour du bâtiment. La cour arrière, orientée vers l'ouest, abritait un garage, en brique lui aussi, un carré de sable et un centre de jeux multicolore. Surprenant leva les yeux. Un balcon avait été ajouté à l'arrière. Parent devait y prendre l'apéro, les soirs d'été, en compagnie de *boomers* branchés qui se préoccupaient davantage de l'état de leurs artères que de celui de la planète.

Aucune lumière ne brillait chez Parent. Surprenant jeta un œil dans le garage. Un Pathfinder noir y était stationné, l'autre place était vide. La porte de côté était verrouillée. Pourquoi éprouvait-il une telle antipathie envers un homme qu'il n'avait jamais rencontré ? Il regagna son Cherokee et contacta l'agente qui avait procédé à la vérification du CR-V de Parent deux ans plus tôt.

Martine Proulx patrouillait dans le quartier Saint-Sauveur. Ils se donnèrent rendez-vous cinq minutes plus tard devant l'église Saint-Joseph, au bas de la Pente-Douce. La policière était une femme de taille moyenne, aux cheveux courts et aux traits ingrats, qui affichait un début d'embonpoint. Elle se souvenait de sa visite chez Pierre Parent, mais ne pouvait rien ajouter à son rapport. Dans son souvenir, le CR-V lui avait paru normal, sans signe de dommages ou de travaux récents.

— Normal? insista Surprenant.

— La carrosserie était sale, comme si le propriétaire revenait d'une virée dans le bois. Les rétroviseurs étaient en place, quelques petites bosses à l'avant, des deux côtés, rien qui signale un impact important.

— L'intérieur?

— Impeccable. Propre, rangé, rien qui traînait. S'il y avait quelque chose de bizarre, c'était ça: le contraste entre l'intérieur et l'extérieur. Le 4 x 4 était verrouillé.

— Vous avez parlé au propriétaire?

— Au téléphone.

— Comment a-t-il réagi à votre requête?

— Il m'a dit qu'il était entre deux patients. Il n'a pas paru inquiet quand j'ai demandé à voir son véhicule.

— Aucune protestation? Aucune question?

— Il m'a dit, aimablement, de faire ce que j'avais à faire. Il m'a demandé quand avait eu lieu l'accident. Je lui ai dit «Samedi dernier». Il m'a dit que, ce jour-là, il avait soupé chez un ami dans Charlevoix. Il m'a fourni un nom. Puis il s'est excusé et a raccroché.

— Vous avez vérifié l'alibi?

— Vous me prenez pour une débutante? J'ai appelé un homme, un médecin lui aussi. Je crois que son nom est Duchesneau. Il m'a confirmé que Parent avait mangé chez lui le samedi soir.

— Il y avait d'autres invités?

Martine Proulx se mordit les lèvres.

— Je ne sais pas.

— Décrivez-moi ce Duchesneau.

— C'est loin, mais il m'a paru assez âgé.

— Je vous remercie.

— J'ai gaffé ?

Surprenant eut un geste évasif.

— Ne vous en faites pas. Des fois on croit tenir une nouvelle piste, juste pour se planter quelques jours plus tard.

Il roula jusqu'à l'autoroute Dufferin-Montmorency, excité et perplexe à la fois. Il possédait un suspect protégé par un alibi qui n'était pas inattaquable. Il traversait les fumées de la papetière Daishowa quand il mesura les limites de son scénario. Il reposait sur un seul ressort, aussi fragile que puissant : la culpabilité.

Jonathan Gagnon n'avait probablement pas été victime d'un meurtre, mais d'un délit de fuite, d'un *accident.* L'alcool, peut-être en cause, transformait ce concours de circonstances en un crime, passible d'un châtiment pénal et de l'opprobre social. Parent, s'il s'agissait de lui, avait refusé d'assumer sa faute. Avait-il par la suite choisi d'approcher puis de séduire la femme dont il avait ravagé l'existence ? Cet homme, sensible au remords mais qui s'arrogeait le pouvoir de juger, de fuir le châtiment et de réparer, devait être formidablement imbu de sa personne.

Surprenant immobilisa son Cherokee devant le château fort. Il éteignit le moteur et renvoya Django à sa tombe. Il se sentait soudain fatigué. Il mit quelques secondes à identifier les origines de son malaise. Geneviève, la veille, et Francine Duff, une heure plus tôt, lui avaient conseillé de ne pas se mêler des amours de Diane. C'était maintenant lui, Surprenant, qui se glissait dans la peau du juge. S'il persévérait, allait-il causer lui-même un accident? La vie, comme l'amour, comme les saisons, ne se chargeait-elle pas de réparer elle-même les injustices?

Geneviève avait raison : il était narcissique.

7

Cicatrices

Le matin, quand la salle de séjour était chaude, Diane enlevait sa robe de chambre et exécutait des exercices d'assouplissement devant le poêle où crépitait le bois que son père lui apportait, chaque été, dans son pick-up rouge.

Elle souleva le bras gauche et réprima une grimace. Les muscles de l'épaule n'avaient pas repris leur souplesse. La cicatrice courait jusque sous l'aisselle. La peau épaissie refusait de se détendre tout à fait. Huile. Massage. Nouvel étirement. La mort était dans cette rétraction, cette frilosité, ce refus de s'allonger, d'explorer, de prendre un risque.

Qu'est-ce qui en elle ressemblait à cette cicatrice ?

Elle resta allongée quelques minutes devant les flammes, se leva, légèrement étourdie, remit sa robe de chambre et s'adonna au rituel du café. Elle avala sa tartine de pain intégral, ses vitamines, ses oméga-3, ses médicaments anticancer. Ces menus gestes avaient constitué pendant des semaines, des mois, les jalons qui marquaient sa volonté de lutter. Elle ne se contentait pas de s'abandonner, passive, aux traitements de la médecine. Elle levait des plus lointains comtés de son royaume ses propres armées de vengeurs.

Dans sa chambre, à l'arrière, alors qu'elle s'habillait, vint le moment difficile où elle glissa sa prothèse dans la nacelle gauche de son soutien-gorge. Elle se regarda dans le miroir.

Elle était nue, vieille, laide.

Fini les décolletés.

Au village, chacun connaissait sa maladie. Quand elle était retournée travailler au bar, ses habitués avaient lorgné son corsage. Lequel avait sauté ? Leur intérêt n'était pas dénué de sympathie ou de tendresse. Dans leur désert affectif, elle était une oasis. Certains, plus jeunes, plus baveux, la détaillaient avec moins de discrétion. Elle déposait brutalement leur pinte sur le comptoir en les fixant.

« C'est le gauche, si tu veux savoir ! »

Elle s'éloigna du miroir et visualisa son corps nouveau, aimé, caressé. Elle avait rendez-vous avec son chirurgien et voulait l'ébahir par sa récupération.

En s'évadant de sa prison de banlieue, elle avait abandonné, budget oblige, sa Dodge Caravan neuve dans un garage de Sainte-Foy dont le propriétaire, sexagénaire désœuvré, l'avait reconduite personnellement, en possession de son chèque, jusqu'à son bar.

— C'est à toi ? s'était-il étonné.

— C't'affaire !

Le bar *Chez Raymond* lui appartenait, certes. Le gérant de la caisse, lui, ne s'y était pas trompé : il avait exigé que son père endosse l'hypothèque. Johnny Gagnon, soixante et onze ans au compteur, avait tracé sa signature maladroite au bas des formulaires, dix fois plutôt qu'une. Il arborait un sourire satisfait. De un, il pourrait jouir sur ses vieux jours de la compagnie de sa fille. De deux, se réalisait la prédiction qu'il avait faite quand elle était partie en ville :

— Pauvre *floune*! Tu reviendras quand t'auras mangé assez de misère!

Faute de Dodge Caravan, elle s'était véhiculée dans divers bazous, dont le dernier, une Civic rongée par la rouille, tenait le coup depuis treize mois. Sous le soleil oblique, elle dévala l'autoroute 40 jusqu'à l'Hôpital du Saint-Sacrement. Dans la salle d'examen, tandis qu'elle frissonnait sous sa jaquette bleue, elle palpa de nouveau sa cicatrice. Une partie de son pectoral y avait passé, la laissant avec une épaule asymétrique.

Le D\ :sup:`r` Stéphane Sanschagrin apparut dans son pyjama de chirurgien. Trente-cinq ans, yeux veloutés, mains d'artiste, son boucher n'avait rien d'un bourreau. Affable mais affairé, il la questionna au sujet de son état général, de ses malaises, avant de l'inviter à prendre place sur la table d'examen. Quand il souleva la jaquette, il ne put réprimer une moue de désapprobation à la vue de son œuvre. Il avait voulu conserver la partie saine du sein. Diane avait refusé. Études et statistiques à l'appui, il avait fait valoir que le taux de survie n'était que très légèrement amélioré par la chirurgie radicale.

«Très légèrement? Enlevez tout!»

Patiemment, il avait insisté, allant jusqu'à insinuer que la mort récente de son fils, dont il connaissait les détails comme tout le monde, pouvait l'amener à prendre des décisions regrettables. Cette mastectomie totale constituait, n'importe quel de ses confrères le lui confirmerait, une mutilation inutile.

«J'ai toute ma tête! Je vous demande de tout enlever. S'il vous plaît.»

Ce jour-là, le chirurgien palpa sa cicatrice, son thorax, son sein droit, ses aisselles, son cou, ausculta ses poumons. Il parcourut, impénétrable, le dossier.

— Madame Gagnon…

Un premier sourire.

— ... la scintigraphie, la tomodensitométrie, tous les examens sont normaux. Vous avez un sang de jeune fille. Aucun signe de métastase, d'inflammation, de récidive. Congé jusqu'en avril.

Elle quitta le bureau, soulevée par une joie profonde.

Dans le stationnement de l'hôpital, près des infirmières qui fumaient en frissonnant dans l'air frisquet, elle appela Pierre pour lui communiquer la bonne nouvelle.

* * *

Il assume la présidence d'un pays. Son palais est un appartement pris en sandwich entre un rez-de-chaussée et un deuxième. Dans une chambre, un mannequin, pendu par les pieds et bourré de dynamite, est léché par une flamme qui menace de le faire exploser. Sous le mannequin, une grosse enveloppe de papier kraft contient le trésor du pays, des millions de dollars dont il a la garde.

Il ordonne qu'on transporte le trésor et qu'on le cache ailleurs. Lui doit éteindre la flamme, sans employer trop d'eau sous peine de dénaturer le mannequin. Il est inquiet du trésor qui peut être dérobé. L'appartement est envahi par les gens de l'étage inférieur, qui complotent dans la pièce à côté. Il éteint finalement le feu, récupère le trésor qu'il cache de nouveau, soigneusement, sous le mannequin.

— J'ai rêvé d'un pendu, dit Surprenant en écoutant d'une oreille distraite Claude Julien commenter la défaite des Canadiens face aux Flyers de Philadelphie.

— Ce n'était pas toi, au moins? demanda Geneviève qui préparait les goûters des enfants.

— Non, j'essayais d'éteindre le feu.

— C'est un rêve instructif.

— C'était un mannequin, pendu par les pieds.

— Un pendu! Je vais en parler à maman. Depuis le temps qu'elle veut te tirer au tarot...

Surprenant s'abstint de tout commentaire. Après avoir enseigné pendant trente ans les mathématiques à Sainte-Agathe, Louise, sa nouvelle belle-mère, avait développé un intérêt pour les sciences occultes. Geneviève ayant refilé à sa mère les coordonnées de sa naissance, Louise avait déjà dressé sa carte du ciel et calculé son chemin de vie. Sa dernière marotte était de lui «faire un tarot». Surprenant opposait depuis un an un scepticisme bétonné à toute tentative d'intrusion dans son espace ésotérique.

— Si tu n'y crois pas, où est le problème? demandait finement sa belle-mère.

Il n'osait avouer le fond de l'histoire, sa propre mère qui partait, une fois par mois, consulter Madame Jeanne, la voyante du boulevard Missisquoi, à Iberville. Il ne doutait pas du sujet de la consultation: son père était-il mort, oui ou non? Lui-même avait emprunté, à quatorze ans, un manuel de tarologie, avec un jeu intégré, à la bibliothèque de Saint-Jean. En cachette, le soir, il se faisait des tirages en croix en recherchant le sens des arcanes dans son manuel. Il rejetait les négatifs, retenait les positifs, pressentant déjà ce qui devait devenir son opinion adulte sur la question: l'ésotérisme, comme la religion, était un rempart contre l'angoisse que suscitait, chez tout être conscient, l'absurdité du monde. Cette profession de foi rationnelle ne l'empêchait pas d'éprouver un inconfort devant la faune du tarot de Marseille — Empereur, Fou, Bateleur, Papesse, Diable et *tutti quanti* —, qui le ramenait aux insomnies de son enfance, rue Riendeau, quand il croyait entendre le pas de son père dans le tambour.

Son père était-il mort, oui ou non? Trois ans après son escapade à Los Angeles, Surprenant n'était certain que d'une chose: sa mère, malgré ses révélations au sujet de l'appartement sur Breeze Crescent et sa rencontre avec Laureen Sorensen, tenait mordicus à ce que son Maurice eût cessé de respirer en octobre 1970. Par paresse ou par peur de ce qu'il pourrait découvrir, lui-même avait remis d'année en année une nouvelle visite en Californie, se contentant de quelques recherches, vite abandonnées, sur Internet. Peut-être voulait-il respecter la quiétude de sa mère et de son Roméo, survivant d'un arrêt cardiaque et d'un quadruple pontage, qui coulaient une vieillesse raisonnablement heureuse entre Iberville et — ironie du sort — Hollywood, en Floride.

Ce pendu à l'envers, maintenant... Il arriva au poste à huit heures pile. L'Orignal lui avait préparé un cappuccino à l'aide du petit engin italien qu'il avait installé dans leur cubicule, à la face des agents, l'automne précédent.

— Que me vaut cette attention ? s'informa Surprenant.

— Il ne s'agit pas d'une attention, mais d'une gageure. J'étais certain que tu serais ici à l'heure ce matin.

— Je suis toujours à l'heure.

— Deux fois sur trois. Je te signale que Bachand t'a à l'œil.

— Je sais, dit Surprenant sur un ton qui laissait entendre qu'il n'était pas dupe au sujet de l'identité de son informateur.

Le café était excellent.

— Tu as trouvé ton cardiologue ?

— Ça ne mène nulle part. Un alibi antinucléaire. Le CR-V était intact. Une coïncidence.

Santerre fit «hum! hum!» de sa voix de basse. *Mi mi*, estima Surprenant, qui, malgré les limites de ses talents de pianiste, entraînait son oreille. «Cet homme est en *mi* mineur. Un dièse à la clef», songea-t-il en évoquant ce ton réputé pour sa couleur triste et voilée. Lui, Surprenant, quelle était sa tonalité ? *Si* bémol ! Comme un sax ou une trompette.

The night is like a lovely tune
Beware, my foolish heart

— André...

L'Orignal lui parlait.

— ... ton cardiologue a peut-être un alibi antinucléaire, comme tu dis, il a aussi un chalet au lac Sept-Îles.

— Je le savais. De qui tiens-tu ça ?

— Mon petit carnet ! s'amusa Santerre en faisant le geste de téléphoner.

Sa tasse immobilisée à quinze centimètres de ses lèvres, Surprenant se trouva sans voix devant cette nouvelle illustration de la personnalité paradoxale de son collègue : ce célibataire endurci, sans famille, montréalais de surcroît, était aussi informé qu'il était solitaire.

— Qui as-tu appelé ?

— Je garde ça pour moi. Je peux juste te dire que beaucoup de gens à Sainte-Catherine savent que le Dr Parent sort avec ta Diane.

— J'aimerais que tu ne te mêles plus de cette affaire. Je ne veux pas que Diane apprenne par un voisin que la police s'interroge au sujet de son fiancé.

Surprenant se tourna, ouvrit rageusement son classeur, en sortit le dossier Gagnon et quitta la pièce. Il descendit au rez-de-chaussée et se réfugia dans la salle à café, déserte malgré l'heure. Il relut le rapport de Martine Proulx. « Le soir de l'accident, Pierre Parent soupait chez un collègue, le Dr Claude Duchesneau, dans Charlevoix. » Charlevoix... aux antipodes de Portneuf, c'était commode. Surprenant se sentait toujours irrité. Il revit le visage tragique de Francine Duff. *Vous êtes peut-être*

assez fou pour faire exploser l'existence de ma meilleure amie.
Il manipulait une matière dangereuse. C'était peut-être
le message de ce mannequin pendu par les pieds.

— André ?

Le lieutenant Michel Bachand, sa tasse Harley-
Davidson à la main, prit place en face de lui. Il saisit le
dossier de sa grosse main et le retourna.

— Tu es encore là-dedans ?

— Je le révisais, au cas où on aurait laissé passer
quelque chose.

Bachand, cinquante-quatre ans et demi-marathonien,
était un policier pragmatique. Surprenant avait atterri
dans son escouade, précédé d'une réputation : lors
de deux enquêtes aux Îles-de-la-Madeleine, il avait
fait preuve à la fois d'une indiscipline et d'un flair
exceptionnels.

Depuis son arrivée, Bachand n'avait pas eu à s'en
plaindre. Il lui tenait néanmoins la bride serrée. Il
s'était inquiété quand Surprenant, faisant fi de ses
conseils, n'avait pas décroché de sa mission de mettre la
main sur la personne qui avait fauché le petit Gagnon le
18 octobre 2003. La veille, Santerre lui avait appris que
Surprenant s'intéressait à un cardiologue bien connu
dans la région.

Bachand avait atteint l'âge de la retraite, mais continuait à travailler. À part sa famille et sa santé, son bien
le plus précieux était sa réputation, qui était irréprochable. Aussi surveillait-il de près son nouveau sergent.
Son dernier fait d'armes administratif pourrait consister,
justement, à transformer ce franc-tireur en un officier
responsable et peut-être, puisque les insoumis faisaient
de bons chefs, en son successeur.

— Tu t'en vas où, avec ça ? demanda-t-il en repoussant
le dossier.

Surprenant lui expliqua cette étrange apparition d'un suspect dans la vie amoureuse de la mère de la victime d'un acte criminel.

— Suspect! grogna Bachand. Ton gars a un alibi!

— Je sais, concéda Surprenant en se promettant de remettre à Santerre la monnaie de sa pièce.

— Deux ans après les faits, tu veux prouver quoi devant un jury?

Surprenant ne disait mot.

— Comment penses-tu que Diane réagirait si elle apprenait que tu suspectes son fiancé? Ces Gagnon-là, c'est pas des têtes brûlées, mais ça leur prend pas grand-chose pour que les fils se touchent.

— J'ai eu le temps de découvrir ça, figurez-vous.

— Son mari l'a trompée *une* fois. Elle a quitté sa vie confortable, sa maison de quatre cent mille piastres et sa piscine, à Charlesbourg, et elle est revenue à Sainte-Catherine reprendre un bar. Je ne te parlerai pas du père. Je te conseille de ne pas t'aventurer là à moins d'avoir une ceinture et des bretelles.

— C'est ce que je cherche, des bretelles.

Michel Bachand posa sur Surprenant le regard sévère, mais tendre, du mentor.

— Peux-tu être plus clair?

— Des bretelles d'accès, si je peux m'exprimer ainsi. Si je ne peux pas y aller de front, pourquoi ne pas passer par la bande?

Quand Santerre, intrigué, vint voir ce qu'il advenait de Surprenant, il le découvrit en grande conversation avec Bachand. Apparemment, ils s'entendaient comme deux lutteurs prenant une bière dans un bar de province après un combat.

* * *

Secrètement, Pierre Parent regrettait de ne pas être devenu chirurgien.

Au sortir de son internat, il s'était exilé un an à Rouyn-Noranda, le temps de comprendre qu'il n'avait pas la vocation d'omnipraticien. Au bureau et même à l'urgence, il avait l'impression de perdre son temps à confesser des gens qui n'étaient pas vraiment malades. De plus, il ne jouissait pas du plaisir de posséder complètement un champ de la médecine. Il était revenu à Québec et avait entrepris une résidence en cardiologie. Il adorait le cœur et le système circulatoire, toute cette belle physiologie propre, logique, ces valves, ces ventricules, ces gradients de pression, ces artères qui s'obstruaient sous l'effet du stress et des graisses, qui se distendaient à l'aide de médicaments dont on pouvait comparer les effets. Tout cela, contrairement à la psychiatrie, la rhumatologie, la gastro-entérologie, se comprenait fort bien. On pouvait influer sur des facteurs de risque, prescrire des substances qui jouaient sur la tension artérielle, la dépolarisation des cellules et le débit urinaire, déboucher des coronaires, changer des valves, même procéder, en dernier recours, à des greffes.

En un mot, il pouvait sauver des vies. Le cœur était un organe noble. La sagesse populaire en faisait le siège de l'émotion. Cardiologue, il était au centre de l'action. Il avait néanmoins dû faire le deuil, en cours de deuxième année, de l'auréole chirurgicale. Il ne serait jamais ce magicien en blouse verte qui franchit la frontière la plus inviolable, la peau, répare ce qui ne va pas, puis, sa tâche accomplie, s'élance vers une autre aventure.

L'espace de quelques semaines, il avait hésité entre la cardiologie et la chirurgie cardiaque.

Il avait déjà vingt-six ans.

Hélène, sa nouvelle épouse, était enceinte.

Le vieux Dr Boutet lui ouvrait toutes grandes les portes de l'enseignement universitaire.

Au terme de sa résidence, Pierre Parent, sa femme et sa fille de deux ans s'étaient exilés un an à Philadelphie. À son retour, il était rapidement devenu le pape de la cardiologie pédiatrique de Québec. Au fil des ans, les défis venant à manquer, il avait fait de la consultation en région, avant de découvrir, au détour de la quarantaine, l'Afrique.

Il n'y opérait pas davantage, mais il y posait, auguste patron, des diagnostics. Tétralogies de Fallot, communications interventriculaires, sténoses et insuffisances valvulaires lui arrivaient de la jungle sous la forme d'enfants maigres et essoufflés, accompagnés de parents endimanchés. Il prescrivait des médicaments pour leur permettre de tenir et faisait de la politique. Rencontres avec le dictateur, jumelage interfacultaire, campagnes de financement, il avait créé, à partir du néant, un corridor de services entre Libreville et Québec. Chaque année, il supervisait le traitement de sept ou huit jeunes Africains, ce qui lui permettait de traiter d'égal à égal avec ses confrères chirurgiens.

Dès son arrivée à l'hôpital, Pierre Parent troquait sa chemise pour une blouse de chirurgie. Le vêtement, ample et rugueux, était confortable et lui rappelait sa jeunesse. En l'enfilant sur son torse nu, il avait l'impression de retrouver l'inépuisable énergie qui lui avait permis de traverser les quarts de garde de sa résidence. Cette manie était devenue sa marque de commerce. Il était le cardiologue en blouse verte, ce personnage original qui parcourait les corridors avec une belle ardeur malgré ses cinquante-cinq ans.

Ce jeudi-là, son portable sonna alors qu'il était en consultation à l'unité de pédiatrie. Il lut le numéro de

Diane sur l'afficheur, s'excusa auprès de l'infirmière et se réfugia dans le cubicule encombré de dossiers qui servait de salle de dictée.

— Et puis? demanda-t-il en cachant mal son anxiété.

— J'ai un sang de jeune fille, cher ami.

— Super. La tomo, la scinti?

— Normales. Tu ne seras pas débarrassé de moi de sitôt.

— On fête ça ce soir. Je passe te prendre à six heures.

— Tu vas monter à Sainte-Catherine?

— Le carrosse à la porte, Cendrillon.

Il murmura le «Je t'embrasse» qui ponctuait la fin de leurs communications et raccrocha. *Tu ne seras pas débarrassé de moi de sitôt.* Il s'agissait évidemment d'une boutade. Leur relation avait reposé, dès le début, sur un mélange d'attraction et de tension. Depuis sa récente demande en mariage, les enjeux avaient augmenté, de même que son désir.

Comment en était-il venu à cet état? Cette femme le possédait complètement.

8

Ne tirez pas sur l'ambulance

Au cours de sa carrière, Surprenant avait maintes fois observé que la curiosité était un levier puissant. La secrétaire du Dr Martin Hurtubise, directeur des services professionnels du CHUQ, avait eu beau déclarer que son patron avait un horaire très chargé ce jour-là, il n'avait eu qu'à décliner son titre et à évoquer « une enquête importante concernant un médecin attaché à votre institution » pour obtenir un rendez-vous. Comme il ne voulait pas être vu à l'hôpital, il proposa au directeur de dîner dans un restaurant italien du chemin Saint-Louis, où l'on servait d'excellents *fettuccine alla puttanesca*.

Surprenant arriva le premier, commanda une bière et attendit l'apparition du DSP. Le CHUQ était une entité complexe, résultant de la fusion de trois hôpitaux universitaires entretenant des rivalités historiques. Centre mère-enfant, regroupements et démissions de médecins, rénovations d'un site aux dépens d'un autre, les polémiques se succédaient, alimentées par les guerres que se livraient, au grand plaisir des gestionnaires, les surspécialistes, ces *prima donna* du système. Le DSP du CHUQ constituant l'interface des deux factions, administrative et médicale, engagées dans cette guérilla kafkaïenne, Surprenant s'attendait à rencontrer un médecin muni d'un épais blindage.

L'homme qui prit place en face de lui, contrairement à ses suppositions, avait une allure détendue et semblait ne pas avoir plus de quarante ans.

Après les présentations, Martin Hurtubise commanda une salade de thon et une eau minérale. Surprenant avait eu le temps de réviser son jugement: ce visage juvénile sous un crâne précocement chauve, ces yeux attentifs derrière les lunettes ovales cachaient un esprit acéré.

— De qui désirez-vous me parler? demanda Hurtubise après un minimum de civilités.

— De Claude Duchesneau. D'après mes renseignements, il est anesthésiste chez vous.

— Il *était*. Il a pris sa retraite l'an dernier.

— Malgré la pénurie?

— Nous ne pouvons forcer personne à travailler, voyez-vous. Quand un médecin a perdu le feu sacré, rien ne l'empêche de quitter. S'il en a les moyens, évidemment.

— Le Dr Duchesneau avait-il perdu le feu sacré?

— Sergent Surprenant, je ne vous dirai rien de plus avant que vous n'ayez vous-même vidé votre sac.

— Duchesneau pourrait être un témoin important dans un délit de fuite.

— Il a été impliqué dans un accident?

— Non, son témoignage sert d'alibi à un autre médecin travaillant dans votre établissement.

Hurtubise examina Surprenant avec un sans-gêne qui se voulait intimidant, mais qui trahissait plutôt son état d'alerte.

— Qui?

— Pour des raisons qui relèvent de l'enquête, je ne peux vous le dire.

Très calme, Hurtubise accueillit sa salade, déposa sa serviette de table sur ses genoux et saisit une câpre à l'aide de sa fourchette.

— Avez-vous une idée de l'organigramme d'un grand centre hospitalier, sergent?

— Je n'en connais pas les subtilités, mais je conçois que vous vous trouvez quelque part entre la direction et les cliniciens.

— Je veille à la qualité des soins. Les médecins qui travaillent au CHUQ sont des professionnels qui détiennent des privilèges de pratique. J'ai autorité sur eux, mais jusqu'à un certain point. Ils ne m'ont certainement pas délégué le droit de révéler à un tiers des informations sensibles les concernant, surtout dans le cadre d'une enquête criminelle dont je ne sais rien.

— Autrement dit, vous seriez peut-être prêt à collaborer si je vous en disais davantage?

— J'ai un devoir de confidentialité. Si vous cherchez des ragots, adressez-vous ailleurs.

Camouflant son irritation, Surprenant vida sa bière. Il avait envie d'un verre de rouge, mais il se retint.

— Puisque vous avez un devoir de confidentialité, poursuivit-il, j'imagine qu'il joue des deux bords et que je peux aussi l'invoquer. Que savez-vous de Pierre Parent?

Martin Hurtubise contracta sa commissure labiale gauche, si bien que Surprenant se demanda s'il avait croqué un noyau d'olive.

— Cardiologue pédiatrique éminent, professeur à la Faculté, président du Conseil des médecins jusqu'à l'an dernier… Il m'est facile de vous dire que son dossier est irréprochable.

— Ce qui est plus difficile dans le cas de Duchesneau?

Le silence du DSP, malgré sa brièveté, constituait un assentiment. Avant qu'il fasse dévier la conversation vers des sujets moins sensibles, qui permettraient aux deux hommes de déguster un allongé sans trop d'inconfort, Surprenant comprit que le DSP du Centre hospitalier universitaire de Québec venait de lui balancer son ex-anesthésiste, sans se salir les mains.

À peine sorti du restaurant, Surprenant appela la réceptionniste au poste et lui demanda de dénicher les coordonnées du Dr Claude Duchesneau, quelque part dans Charlevoix.

Lucie Preston étant une femme aux ressources infinies, Surprenant descendit d'emblée la côte Ross vers le boulevard Champlain et, par là, vers l'est. Il n'avait pas atteint le Cul-de-Sac qu'il recevait le numéro de téléphone et l'adresse de l'anesthésiste. Trente secondes plus tard, une voix féminine, gracieuse mais légèrement chevrotante, l'informa que le Dr Duchesneau s'était absenté quelques minutes, mais serait heureux de le recevoir vers quatorze heures.

Surprenant emprunta le quai Saint-André et la rue Saint-Paul avant de grimper sur l'autoroute Dufferin-Montmorency, dont les trois voies, désertes, allaient se perdre, au loin, au pied du mont Sainte-Anne. Le ciel et le fleuve, bleus sous le soleil, rehaussaient les ors et les pourpres de l'île d'Orléans et de la Côte-du-Sud. À sa gauche, la rivière Montmorency chutait avec fracas au bas du plateau laurentien. Comme la rivière, Surprenant franchissait un point de non-retour. Duchesneau ne manquerait probablement pas de dire à Parent qu'un sergent de la SQ avait fait cent kilomètres pour venir l'interroger sur ce souper qu'ils avaient partagé deux ans auparavant. Les deux hommes étaient proches, soit parce qu'ils mangeaient ensemble le samedi soir, soit parce qu'ils avaient conclu ce si commode arrangement.

L'Ange-Gardien, Château-Richer, Surprenant avait toujours cru que la vérité, si dérangeante soit-elle, menait à la justice, à la sagesse et au bonheur. Quand il sondait les motifs qui le poussaient à éliminer la possibilité que Parent soit l'homme qui avait heurté à mort le fils de sa fiancée, il revenait toujours à ce but discutable : établir la vérité. Personne n'était à l'abri d'une faute. Qu'elle soit établie et pardonnée était-il nécessaire ? Pierre Parent, s'il était coupable, ne récidiverait plus. Alors ?

Il dépassa Sainte-Anne et monta la côte du Cap-Tourmente sans avoir trouvé réponse à ces questions. Le fleuve s'argentait sous le vent d'ouest, s'élargissait, évoquant la mer. Bien que secoué par le moutonnement de ses doutes, Surprenant avait une certitude : il avait promis à Diane Gagnon de lui ramener son enfant. Au lieu de Jonathan, il lui avait remis un cadavre. Son travail, maintenant, envers et contre tous, était de démasquer l'homme qui l'avait tué. Même si pour cela il devait briser des vies.

Passé Baie-Saint-Paul, sur le chemin du Cap-aux-Rets, au bas de la route qui montait aux Éboulements, un panneau de bois sculpté, à la peinture écaillée, affichait ALLARD-DUCHESNEAU. La maison était un cottage d'un étage et demi, d'un bleu élégant, dont les lucarnes s'ouvraient comme des visières sur le panorama somptueux qu'offraient le fleuve et l'estuaire de la rivière du Gouffre. Une Audi 6 plus très jeune était stationnée dans l'entrée asphaltée. Surprenant fut accueilli par une dame armée d'un râteau et coiffée d'un chapeau de paille, qui ramassait les feuilles que semaient trois érables à quelques mètres de la falaise.

— Quelle belle journée, n'est-ce pas ?

Une deuxième fois, Surprenant nota la voix, affaiblie mais chantante. Appuyée sur son outil, le teint pâle, les yeux d'un azur relevé par la rougeur des paupières, la maîtresse des lieux, une belle femme, l'observait avec un plaisir inhabituel chez quelqu'un recevant, un jeudi après-midi, un officier de police.

— Beau temps pour étendre, risqua-t-il.

Rire discret, mais encore cristallin.

— Claude vous attend, dit-elle sans plus de manières.

Demander à une dame d'un certain âge si on ne l'a pas déjà croisée quelque part est un exercice délicat : la réponse peut la forcer à se situer à son désavantage sur l'axe du temps.

Surprenant, étourdi par le paysage et le rire mélodieux de cette ramasseuse de feuilles, se sentait d'humeur hardie.

— Pardonnez-moi, mais j'ai l'impression que votre visage m'est familier.

— Vous me flattez, monsieur ! Gaétane Allard. J'ai chanté et joué la comédie il y a... longtemps.

Longtemps... longtemps... longtemps...
Après que les poètes ont disparu
Leurs chansons courent encore dans les rues

Elle enchaîna illico, et d'une voix juste, sur la chanson de Trenet. Ébaubi, Surprenant retrouva, enfoui dans ses souvenirs des *Beaux Dimanches* de Radio-Canada, le visage d'une comédienne tenant un rôle secondaire dans une pièce de Dubé.

— C'était avant que je rencontre mon Claude, ajouta-t-elle dans un aparté dramatique alors qu'ils tournaient le coin de la maison. Qu'il était beau ! Je vous prépare du café ?

Sur une terrasse en bois, assis sur un banc, Surprenant découvrit un sexagénaire bedonnant et voûté, méditativement appuyé sur une canne, qui semblait purger une punition ou observer la prescription d'un médecin qu'il méprisait. Sur le rebord de la fenêtre, un cendrier supportait une moitié de cigarillo. L'authentique *brandy nose*, le teint couperosé, l'injection des conjonctives et la colère rentrée de l'expression trahissaient, mieux qu'une prise de sang, le poivrot.

— Tirez-vous une bûche, grogna Duchesneau en désignant une chaise longue.

Surprenant préféra s'asseoir sur une chaise droite qui donnait accès, semblait-il, à la corde à linge.

— Qu'est-ce que je peux faire pour vous, sergent… Surprenant ? Vous n'avez pas fait cette route pour vérifier mon permis de conduire.

Éclair bref dans les yeux bruns, accès de toux grasse.

— Vous savez pourquoi je suis ici, risqua Surprenant d'une voix posée.

— Non.

L'anesthésiste détourna le regard, saisit son cigarillo et l'alluma avec un Zippo récalcitrant. Fixant son mégot :

— Vous savez que cette… pourriture crée une dépendance aussi forte que l'héroïne ?

— J'ai dîné ce midi avec le DSP du CHUQ. Il m'a appris que vous ne pratiquiez plus.

— Pfuitt ! Que vous a-t-il raconté d'autre, ce petit trouduc ?

— Son silence m'a paru éloquent.

— Je ne sais pas à quoi je vois ça, mais vous semblez avoir un peu de culture pour un poulet. Vous savez ce qu'est un trou de cul, sans doute. C'est cette ouverture, là, entre vos jambes, qui empêche la merde de s'échapper. Eh bien, d'après l'absence d'odeur, votre sphincter tient bon. Certaines personnes ont moins de chance.

L'homme était en ruine, mais conservait, bien vivants, les vestiges d'un esprit frondeur qui avait dû le servir au temps où il courtisait la belle Gaétane. Loin de s'offenser de remarques qui ne visaient qu'à le faire sortir de ses gonds, Surprenant poursuivit.

— Si j'ai bien compris, certaines personnes se sont ouvert le clapet ou ont cessé de vous couvrir ?

— J'ai soixante-six ans. Est-ce que j'ai l'air d'un pauvre ? J'ai pris ma retraite de mon plein gré.

— Parlez-moi de Pierre Parent.

— Pierre ! Mais c'est mon... ami !

Nouvelle quinte de toux. La main tremblait discrètement. Peut-être Gaétane avait-elle installé son mari dehors pour que Surprenant ne capte pas l'odeur de l'alcool ?

— Vous le recevez souvent à souper ?

— Seulement quand Gaétane est en voyage. Sinon, on ne sait jamais, elle pourrait peut-être repartir avec lui !

— Où était votre femme, le soir qui nous intéresse ?

— Quel soir ? fit soudain Duchesneau, comme s'il essayait de mémoriser un rôle.

— Le 18 octobre 2003. Un samedi soir...

Le visage tourné vers le large, l'anesthésiste parut fouiller ses souvenirs.

— Milan ! triompha-t-il soudain. La Scala ! Puccini ! Gaétane aime l'opéra... et les couturiers !

— Vous aviez d'autres invités ?

— Non. Je vous l'ai dit : Pierre et moi sommes de vieux amis.

Duchesneau regardait Surprenant droit dans les yeux. Son expression, indéfinissable, pouvait aussi bien signifier qu'il disait la vérité ou que des intérêts supérieurs le forçaient à s'en tenir à son mensonge.

— J'enquête sur un accident mortel survenu ce même soir à Sainte-Catherine.

— Il est à peu près temps que vous me le disiez. Malgré les apparences, j'ai bonne mémoire. Je me souviens parfaitement que Pierre m'a dit que la police avait vérifié son CR-V après l'accident.

— Vous comprenez que vous êtes son alibi ?

— J'ai soupé ici même avec Pierre Parent le 18 octobre 2003.

— OK, fit Surprenant en se levant.

Duchesneau leva une main et, de sa canne, lui désigna sa chaise.

— Je ne sais pas ce que vous imaginez au sujet de Pierre, mais vous faites fausse route.

— Dans quelles circonstances avez-vous quitté le CHUQ ?

Pendant quelques secondes, Duchesneau, rubicond, parut lutter contre la colère.

— J'ai démissionné parce que j'en avais assez. Comprenez-vous ?

Cette fois, le ton était senti, si bien que Surprenant regretta presque d'être venu le déranger. Il éprouva aussi le sentiment que le médecin essayait de l'attendrir ou de faire dévier la conversation.

— Vous avez bonne mémoire. Qu'avez-vous mangé ce samedi-là ?

Duchesneau soupira, comme un travailleur social accablé par les frasques d'un adolescent.

— De l'agneau. Pierre adore l'agneau. À la moutarde. Vous parlez trop, sergent. C'est comme l'opéra. Jamais pu enduré ça. La beauté se cache dans la brièveté ! Comment il disait, l'autre, le Cicéron ? *Quousque tandem abutere, Catilina, patientia nostra ?* Vous débarquez ici et vous m'accusez d'avoir fait un faux témoignage ! Faut avoir un front de beu ! Ah !

Le son d'une clochette signala la fin du round. Portant un plateau, souriante, Gaétane Allard les invitait à l'intérieur. Duchesneau se mit péniblement debout et adressa, sur un ton plus poli, un conseil à son visiteur.

— J'ai beau avoir passé ma vie avec du monde qui dormait, j'ai encore l'œil. Pour avoir raison, vous me paraissez prêt à casser pas mal de tibias. Pierre était ici ce samedi-là. La victime dans cette histoire, c'est la mère. Ne tirez pas sur l'ambulance. Laissez-la tranquille.

Surprenant, ébranlé, ne dit rien.

Le séjour des vieux complices était un espace agréable, inondé de lumière, dominé par la silhouette amie d'un piano à queue. La pièce sentait la pâtisserie et le café. Oubliant l'enquête, Surprenant essuya ses pieds sur la moquette et s'approcha de la bête.

C'était un vieux Steinway.

— Vous jouez? demanda l'hôtesse, qui s'était arrangé les cheveux.

— À peine. Mon oncle, à Montréal, possédait aussi un Steinway. Il était différent de celui-ci.

— C'est un Hambourg, précisa Duchesneau, qui semblait maintenant s'amuser de la situation. *Ein Hamburger!...* Ça ne court pas les rues et hé! hé! ça coûte des bidous!

— Allez-y donc, sergent. Ça vous rappellera des souvenirs.

Surprenant s'assit sur le banc de concert, releva le couvercle et posa les mains sur les touches d'ivoire. *Si* bémol, encore. Il avait oublié à quel point ces instruments possédaient un son riche et profond. Il commença à pianoter la mélodie qui lui trottait dans la tête depuis le matin.

— *My Foolish Heart*! s'exclama son hôtesse. Je crois que j'ai la partition!

Oubliant le café et les biscuits, elle se précipita vers sa bibliothèque.

Surprenant quitta la maison une heure plus tard, rasséréné par un excellent café suivi d'un rhum vieux, mais tenaillé par le doute. Il avait observé Duchesneau sans arriver à une conclusion sur la véracité de son témoignage. Il avait perçu que Parent et lui, malgré leur différence d'âge, avaient cultivé une longue amitié, laquelle s'était refroidie à la suite d'un événement survenu l'année précédente, probablement la démission de Duchesneau. Ce qui semblait certain, c'était que l'anesthésiste, un fin renard sous ses dehors d'iconoclaste, s'en tiendrait à son témoignage.

L'alibi de Parent tenait. Son CR-V avait passé une inspection deux jours après l'accident. Surprenant traversa Saint-Tite-des-Caps en se disant qu'il valait mieux clore le dossier.

Il avait pu apprendre, au hasard de la conversation, le nom de l'ex-épouse de Parent. Hélène Damphousse était médecin-conseil auprès de la CSST. Peut-être devrait-il la rencontrer?

Ne tirez pas sur l'ambulance. À Beaupré, l'avertissement, comme l'air de Victor Young, traînassait dans l'esprit de Surprenant. Une nouvelle question l'accaparait. Si, d'aventure, Parent n'était pas à Baie-Saint-Paul le soir de l'accident, d'où arrivait-il quand il avait engagé son CR-V sur la route de Fossambault?

9

Le bâbordais taciturne

À son retour au poste, Surprenant contacta la SAAQ pour obtenir l'historique du CR-V. Il demanda les cadastres et les listes des propriétaires des municipalités de Sainte-Catherine, de Lac-Saint-Joseph et de Fossambault-sur-le-Lac. Parent pouvait avoir passé la soirée du 18 octobre au lac Saint-Joseph. La police avait recherché un CR-V gris pendant des semaines. Pourquoi personne n'avait-il signalé la présence de Parent à Sainte-Catherine ce soir-là ? La réponse semblait évidente : il avait été couvert par un proche.

Qui était ce proche ? Surprenant prit son carnet, écrivit « PARENT » au milieu d'une page. Pour débuter, une ex-épouse, Hélène Damphousse, et deux enfants qui, d'après Francine Duff, vivaient à l'étranger. Premier cercle, première flèche, premier ensemble. Le divorce datant de quelques années, il était facile d'imaginer au moins quatre autres ensembles : la famille élargie, la ou les blondes, les amis et les relations de travail, chacun pouvant se recouper en d'autres sous-ensembles.

Où trouver ces informations sans lever le gibier ? Surprenant réfléchissait à la question quand l'Orignal fit son apparition et le sonda, plus ou moins habilement, sur son emploi du temps. Surprenant invoqua de nouveau l'affaire du garagiste de Shannon. Ce faisant, il glissait son schéma dans sa poche de chemise et rangeait le dossier Gagnon dans son classeur.

— Tu es fâché parce que j'ai parlé à Bachand ? demanda Santerre.

— Absolument pas.

— Il m'a posé une question, j'ai répondu.

— Rien de plus naturel.

Surprenant se sentait d'autant plus à cran qu'il éprouvait une certaine sympathie envers son collègue. Il retrouva en cela une culpabilité familière : cet homme mûr qui masquait stoïquement sa déception et son envie lui rappelait son petit frère, ce Jacquot qui le suivait comme une teigne geignarde quand il était enfant.

— Si on allait prendre un verre ? proposa Santerre.

Ils se retrouvèrent une centaine de mètres plus loin, à la brasserie *Chez Archibald*. Autour d'un comptoir ovale, au son d'une musique démodée, des jeunes s'échauffant en prévision du week-end, des amies se préparant à aller souper dans un « apportez votre vin », des *boomers* en radoub sentimental s'amalgamaient en une assemblée festive. Assis à l'écart sous une affiche qui annonçait un party d'Halloween, les deux sergents, avec leurs silhouettes massives, leurs cheveux courts et leurs vêtements sombres, détonnaient.

— Je t'ai dit la vérité, se défendit Santerre dès qu'il eut payé les deux bocks de rousse. Bachand m'a demandé ce que tu fabriquais. Il se méfie de toi. Faut le comprendre.

— La prochaine fois, dis-lui de venir me voir directement. Toi et moi, on s'entendra mieux.

Santerre avala une lampée de bière.

— J'ai peut-être quelque chose pour toi, André.

— Vas-y.

— Mon carnet s'appelle Marlène. Elle habite sur la route de Duchesnay.

— Tu… le consultes fréquemment ?

— De plus en plus.

— Félicitations. C'est pour m'annoncer ça que tu m'as invité ici ?

— Pas vraiment. C'est surtout qu'elle m'a dit qu'elle a l'impression d'avoir déjà rencontré Parent.

Surprenant respira profondément, descendit soixante-quinze millilitres de bière et fusilla l'Orignal du regard.

— Tu lui parles de l'enquête ? Tu sais que ce n'est pas dans les règles.

— Tu ne viendras pas me dire que tu ne discutes pas avec Geneviève.

— Elle fait partie de la SQ. Ta Marlène, tu la connais tant que ça ?

— Assez pour savoir que c'est une tombe.

— C'est mon affaire, Luc.

Santerre se taisait. Surprenant se découvrait plus curieux qu'irrité.

— Alors, elle a déjà rencontré Parent ?

— Je lui ai montré une photo de lui sur Internet. Elle est sûre de l'avoir vu quelque part.

— Elle a pu le voir à Sainte-Catherine avec Diane.

— Non. Elle connaît Diane de vue et par personnes interposées. Elle pense avoir croisé Parent il y a quelques années, mais elle ne se souvient plus des circonstances.

Surprenant réfléchissait. *Il y a quelques années…* C'est-à-dire avant l'accident.

— Elle ne parlera à personne ?

— Une tombe, je t'ai dit. Tu ne me fais pas confiance, André. Nous faisons équipe depuis plus de deux ans et tu me considères encore comme un rival.

Surprenant, déstabilisé, but une gorgée de bière. Était-ce cette Marlène? Quelque chose avait changé chez Santerre depuis quelques semaines.

— Je me suis fait tasser il y a trois ans. Ça laisse des traces.

— Ça laisse des traces dans ton dossier aussi. Bachand trouve que tu en mets trop. Deux ans après les faits, sans témoins, sans véhicule, c'est: «Oublie ça!» Le pire, c'est que tu le sais!

— Si on coince le gars, il peut avouer.

Santerre soupira.

— Ma question, c'est pourquoi toi, André Surprenant, tu as transformé cette histoire en une affaire *personnelle*?

Surprenant se sentit curieusement réconforté par l'insistance de Santerre: ce collègue un peu terne et tatillon, qui, croyait-il, le jalousait, l'aimait suffisamment pour le confronter.

Sa question, par ailleurs, le troublait parce qu'elle visait juste.

— J'ai perdu mon père quand j'avais neuf ans. Ma mère nous a élevés seule, mon frère et moi. J'ai peut-être développé une sensibilité particulière envers les femmes frappées par le malheur.

Santerre, attentif, attendait la suite. Surprenant éprouvait un sentiment d'irréalité: il n'avait jamais parlé de son enfance à un homme. Pour le faire, il avait choisi ce collègue distant qui l'avait dénoncé la veille à son supérieur.

Il continua néanmoins:

— Jonathan avait douze ans. Une jeune vie fauchée par un chauffard, ça touche tout le monde. Ce qui m'a accroché, c'est que le coupable a enlevé puis remis le corps à la famille. Il y a là comme un appel, ou un excès de cruauté, ou une forme de raillerie à notre endroit.

« Tenez ! Je vous redonne le corps. Je n'ai pas peur. Vous ne me prendrez pas. »

— La famille, dans ce cas-là, ça se réduit pas mal à Diane. Bachand m'a demandé si tu étais amoureux d'elle.

— Je ne suis pas amoureux. Il se passe quelque chose entre nous deux et ça a un rapport avec Jonathan.

— Dans ce contexte, ta fixation sur Parent, ça paraît mal.

Après ce moment d'épanchement, Surprenant renoua avec sa méfiance. Bachand avait beau jouer au bon diable, il pouvait avoir demandé à Santerre de le tenir à l'œil. Aux Îles ou à Québec, il demeurait un *outsider*, un gars d'en dehors.

Finalement, il était en dehors partout.

— Assez de Diane et de malheur ! Parle-moi plutôt de ta blonde. C'est un événement, quand même !

Sans relever la pique, Santerre lui brossa le portrait de Marlène Drouet, Parisienne qui avait troqué son mari coopérant pour le Québec, dix ans plus tôt. Ils s'étaient rencontrés sur les pistes de Duchesnay et filaient l'amour sinon parfait, du moins possible.

— Tu es un petit cachottier, dit Surprenant.

— Je ne mêle pas l'amour et le travail, *moi*.

— Vraiment ?

Les deux hommes se séparèrent vingt minutes plus tard. De retour dans son auto, Surprenant mit la radio *(tiens, Dexter Gordon !)*, sortit son schéma et se permit une gâterie obsessionnelle : à partir du nom de Parent, il traça une ligne pointillée jusqu'aux lettres Marlène Drouet. La Française retrouverait peut-être la mémoire.

C'est alors qu'il remarqua l'heure, dix-huit heures dix, et se souvint que Geneviève, au moment de l'embrasser le matin, lui avait demandé d'aller chercher Olivier chez son prof de taekwondo à dix-sept heures trente.

***

Pour célébrer sa guérison, Diane avait choisi, ce jeudi, de porter sa robe de chez Macy's. Noire, sobre, elle la ferait paraître encore plus pâle. Elle ne s'en souciait pas. Sous cette enveloppe spectrale, elle était saine et vivante. Pierre avait réservé sa table habituelle dans ce coûteux restaurant du Vieux où il ne manquait jamais de croiser des connaissances.

Il l'exhibait, comme un oiseau rare. Elle l'acceptait, parce qu'elle l'aimait.

Ce soir-là, elle avait réussi, sous prétexte de sa guérison, à le séparer de sa cravate. Il admettait être un peu guindé, mais il aimait s'habiller de façon impeccable lors des grandes occasions.

Que prendrait-elle en apéro?

— Une Bleue, tiens!

— Excellente idée. Deux Bleue, s'il vous plaît.

Pierre sourit. Il était peut-être guindé, mais il avait l'esprit vif. Il avait saisi l'allusion à ses premières visites au bar *Chez Raymond*.

Elle ne l'avait guère remarqué la première fois. Il s'était contenté d'entrer et de s'asseoir à la place de l'observateur, sous la poutre qui supportait Raymond. Il avait commandé, d'une voix de basse, une Bleue. Quand elle avait revu l'éclairage du bar, elle avait choisi de garder ce siège, et son voisin, dans une relative obscurité. Ses habitués avaient beau idolâtrer ce castor empaillé, elle voulait donner une allure plus jeune à l'établissement. Il lui fallait, de plus, dans un espace de mille pieds carrés envahi par l'éclat des téléviseurs, de la machine à poker, de l'horloge Labatt, du lampadaire du stationnement et des plafonniers, créer un semblant d'intimité.

L'homme avait descendu deux bières en l'espace d'une demi-heure, en l'épiant d'une façon qu'il croyait peut-être discrète. Le fait n'était ni nouveau ni original. Même si elle n'était plus très attirante, beaucoup d'hommes venaient au bar pour la regarder. Ce n'étaient souvent pas les plus solitaires. Ils s'installaient au comptoir et l'intégraient dans leur cinéma. Cet homme hors saison ressortait au milieu de ses fidèles. Avant de quitter sans un bonsoir, il avait laissé une pièce de deux dollars sur le comptoir.

«Un chasseur de passage», avait-elle conclu. Elle ne l'avait pas trouvé très sympathique. Elle avait fermé le bar avec une sensation de malaise dont elle ignorait la cause.

Le jeudi suivant, il était de retour. À la même place de l'observateur. Qu'un inconnu passe, d'accord. Qu'il revienne, c'était autre chose. Il portait le même chandail de laine grise, à gros col. Il pleuvait. Il avait gardé son ciré, comme un bâbordais qu'un grain pouvait convoquer sur le pont.

— Une Bleue?

— D'accord.

Les yeux bruns, tapis sous les sourcils poivre et sel, étaient perspicaces. Il savait qu'il l'intriguait. Les mains étaient longues et fines. Un professionnel ou un fonctionnaire. Pas d'alliance. Entre cinquante et cinquante-cinq ans, à l'estime.

— C'est à vous? avait-il demandé en désignant des yeux l'ensemble du bar.

— C'est à lui! avait-elle répondu en pointant Raymond.

L'homme s'était tordu le cou pour admirer l'animal puis, remplissant son verre:

— Les patrons surveillent leurs employés. C'est bien connu.

Elle s'apprêtait à répondre quand le gros Steph, de la console de vidéo poker, lui avait commandé, de son doigt rituel, sa grosse Molson. Elle la lui avait apportée, pendant que l'homme, au comptoir, enlevait son ciré et se versait un second verre. Un anxieux qui préférait l'alcool à l'Ativan.

En le regardant, Diane avait compris pourquoi elle se sentait irritée. Dès sa première question, l'homme au chandail gris avait mis le doigt sur le problème. Le bar n'appartenait pas à Raymond le castor mais, dans les faits, à son père, qui lui avait fourni son capital de départ et qui l'avait soutenue quand la maladie l'avait frappée. Ce citadin aux mains trop propres ne pouvait être au courant de sa situation financière. L'avait-il perçue à quelque signe extérieur? Quelqu'un, au village, lui avait-il parlé de la mort de Jonathan et du cancer?

Elle avait repris son poste derrière le comptoir. Bruit de cascade électronique, Steph venait de gagner quelques dollars, assez pour qu'il perde ce qu'elle lui avait avancé sur sa paie du lendemain. Elle avait attendu que l'homme ait terminé sa bière, avant de l'aborder, plus rudement que voulu:

— Vous savez, je vends aussi de la grosse.

— J'ai remarqué. Je n'ai pas bu de grosses depuis les années 70.

— Le temps que la mode arrive à Sainte-Catherine, elle est déjà démodée.

— Je sais.

— Non, vous ne savez pas.

Ce client la portait à faire de l'esprit. Quand elle lui avait servi sa grosse Bleue, elle n'avait pu s'empêcher de lui demander, comme une campagnarde:

— Qu'est-ce qui vous amène par ici?

— Je serais embêté de vous répondre.

Il avait attendu sa réaction. Elle l'avait laissé s'empêtrer. Il avait fini par préciser:

— Je pense que c'est le bois.

— Le bois?

— J'aime le bois.

Les gars de bois, elle connaissait. Cet homme aux belles mains connaissait autant le bois que le prix du hot-dog frites au *Valentine*.

— Je dirais plutôt que vous venez vous recycler à la campagne.

Le sourire de l'homme était une grimace minimale, le coin des lèvres se relevant à peine, les yeux s'allumant entre les paupières immobiles. Ce solitaire portait une peine secrète.

— Vous avez peut-être raison, avait-il fini par lâcher en levant son verre.

Elle avait attendu qu'il développe. Il semblait juger qu'il en avait assez dit. Elle avait passé son torchon sur le comptoir. La manœuvre avait le don de provoquer des confidences. Son buveur de Bleue n'éprouvait pas le besoin de laver sa conscience ou d'effacer son ardoise. Il avait porté son attention vers les joueurs de billard. Elle n'existait plus. Il avait bu sa bière et était parti, encore une fois sans un bonsoir.

Par la porte entrouverte, elle entendait le crépitement de la pluie, mêlé aux chuintements des camions sur la route. Elle avait hâte de fermer pour rentrer chez elle en longeant la rivière. Dans sa tête, le buveur de Bleue était déjà devenu l'homme du jeudi.

Un an plus tard, Pierre Parent, qui patiemment avait ressuscité son cœur, célébrait avec elle sa victoire contre le cancer. On ne vainquait pas la mort, on négociait avec elle. Il y aurait d'autres examens, d'autres échéances. En attendant, son annulaire portait de nouveau une bague. Elle avait juré qu'on ne l'y reprendrait plus. Pourtant elle enjambait les cordes du ring, elle franchissait le Rubicon, elle brûlait ses vaisseaux, une autre fois.

Leurs verres tintèrent. Pierre l'avait courtisée à la façon du Boléro de Ravel, *ostinato*, de jeudi en jeudi, jusqu'à l'abattement des barrières. *Salute! Cheers! Santé! Prosit!* Qu'ils trinquent dans une langue ou l'autre, ils formaient, dans ce restaurant collet monté, le plus beau couple.

Elle avait bien fait de ne pas se fier à sa première impression.

10

La dame du Bois-de-Coulonge

Au château fort, la soirée s'amorça dans une atmosphère tendue. À son arrivée en compagnie d'un Olivier mort de faim, Surprenant trouva Geneviève cuisinant un carbonara avec une concentration suspecte.

— J'ai décommandé la gardienne, annonça-t-elle d'un ton rugueux.

Le temps d'expédier le train-train, il serait trop tard pour la séance de cinéma de vingt heures. Surprenant s'investit dans une délicate opération alchimique : transmuer ce malaise en harmonie. Une heure plus tard, alors que Mélissa Gauthier-Lamirande, une jeune voisine, était confortablement installée dans le salon en compagnie des garçons, il conduisait Geneviève dans un cinéma de Sainte-Foy, où les attendait la version française de *Broken Flowers*.

— Bill Murray, glissa Geneviève en faisant la file pour s'acheter du popcorn. J'ai toujours trouvé que vous aviez une certaine ressemblance.

— Je suis plus beau que Bill Murray.

— Ne fais pas l'innocent, dit Geneviève, qui avait lu le synopsis du film sur Internet.

Pendant deux heures, ils délayèrent dans la fiction les tensions de la semaine. Récemment largué par une xième copine, Murray partait à la recherche d'un fils inconnu, visitant, bouquet de fleurs à la main, les femmes qui avaient jalonné une jeunesse dont il n'était jamais sorti. Intrigué par la remarque de Geneviève, Surprenant observait le manège du personnage avec perplexité : contrairement à l'avatar de Murray, il s'était marié jeune, avait eu des enfants et ne s'était séparé de sa Maria qu'après vingt ans de stabilité. Différence plus essentielle, il ne cherchait pas son fils, mais son père.

Il le signala à Geneviève tandis qu'ils regagnaient, sous une pluie fine, le Cherokee.

— Chercher un père ou un fils, c'est pareil, énonça-t-elle mystérieusement.

— Explique.

— Tu investis tes relations familiales selon ta propre expérience de la paternité.

— Qui, en l'occurrence, n'a pas été géniale.

Geneviève ne dit rien, son visage traversé par l'éclat des lampadaires de l'autoroute de la Capitale.

— Et ton cardiologue ?

— Son alibi est en béton.

Aussitôt rentrés au château fort, ils congédièrent Mélissa Gauthier-Lamirande, se douchèrent, firent l'amour et laissèrent les endorphines les entraîner vers le sommeil.

Il s'éveilla en sursaut une heure plus tard. Les allusions de Geneviève, ses conversations avec Bachand et Santerre, son dîner avec le DSP du CHUQ, sa visite à Baie-Saint-Paul, les images de Bill Murray cherchant son fils chez ses anciennes flammes, toutes ces données se court-circuitaient dans son cerveau et l'emplissaient d'un sentiment de catastrophe appréhendée.

Geneviève dormait.

Surprenant se leva et descendit dans son bureau, au sous-sol. La pièce, avec sa fenêtre donnant sur une margelle envahie de feuilles mortes, ne lui plaisait pas. Dans les faits, elle servait presque de débarras. Dans la grande garde-robe, il avait entassé les cartons qui contenaient toujours une partie de ce qu'il appelait sa « vie des Îles », des albums photos, les trophées de basket de son fils Félix, son chandail des *Dinosaures de JFT Électrique*, ses manuels de criminologie, une robe de chambre et des boutons de manchette ayant appartenu à son père. Sur un mur, il avait accroché le tableau que son ex lui avait donné quatre ans auparavant, intitulé *La créance*. La toile, une grande huile traversée de traits jaillissant d'un magma de couleurs chaudes, n'avait rien de figuratif, mais il y avait toujours vu la représentation d'une explosion. Sa vie avec la bouillante Maria Chiodini avait-elle été autre chose qu'une longue, délicieuse et torturante déflagration ? Quant à la dette évoquée, elle concernait probablement les fragments issus de cette fission, ces deux enfants qui s'engageaient dans la vie adulte en portant, malgré l'amour de leurs parents, les stigmates de leur rupture.

Sur Internet, il fit une nouvelle recherche à partir de « Pierre Parent » et retrouva les photos et les articles consultés la veille. Parent y apparaissait sous son visage public de médecin. Comment l'approcher sous un autre angle ? Surprenant leva les yeux vers *La créance*. Le lendemain, il contacterait Hélène Damphousse. Pour connaître un homme sous toutes ses facettes, aucune source n'était meilleure, ou pire, qu'une épouse abandonnée.

Abandonnée ? Il ne connaissait rien de la vie conjugale de Parent, mais il avait d'emblée pensé, peut-être parce qu'il l'avait fait lui-même, que le cardiologue avait quitté sa femme. Il scruta le visage sur l'écran, chercha à cerner ce que révélaient ces traits sobres, vaguement canins. C'était indéniable. Parent et lui, au-delà des traits physiques, se ressemblaient. Ils étaient des hommes qui abandonnaient.

Il retourna se coucher, mais mit du temps à s'endormir.

* * *

En compagnie de plusieurs hommes, je fabrique, dans un gigantesque chaudron, une sorte de plat de viande, des morceaux de viande gros comme le poing, mis à mijoter pour une fête rituelle. Au milieu de dizaines de personnes, hommes et femmes mêlés, je descends un long escalier en spirale, aux parois humides, qui mène sous la ville. Il s'agit, en bas, de déposer la viande, qui a faisandé, dans les eaux souterraines.

Il y a de l'eau en bas, une sorte de mare entourée de sable, mais nous ne pouvons rejoindre les égouts principaux. Nous nous butons contre des grilles.

Après une nuit semée de cauchemars, Surprenant entreprit son vendredi avec une mine de naufragé.

Dès huit heures cinq, la secrétaire du service d'expertise médicale de la CSST l'informait que le Dr Damphousse était en congé maladie. Il eut beau décliner son grade et souligner la gravité de la situation, il ne put obtenir son numéro de téléphone personnel.

— Le Dr Damphousse vous rappellera, trancha la secrétaire.

Ce qui se produisit cinq minutes plus tard, alors que Surprenant était en route vers le poste. La voix d'Hélène Damphousse était distante, des bruits de circulation étaient audibles : elle lui parlait d'un portable. Elle lui proposa, d'un ton intrigué, de le rencontrer dans le stationnement du Bois-de-Coulonge.

Derrière le muret de pierres, la Villa Bagatelle, avec son charmant toit ouvragé, signalait l'entrée du parc.

En ce matin d'automne, le stationnement était presque désert. Il n'eut aucune difficulté à repérer Hélène Damphousse. À l'orée du bois, cette dame aux cheveux gris, les mains dans les poches d'un anorak rouge, qui le regardait approcher avec toute la curiosité que provoque le désœuvrement, ne pouvait être que l'ex de Parent.

Elle lui tendit une main chaude malgré le temps frais.

— Que puis-je faire pour vous ? entama-t-elle d'un ton badin.

— J'enquête sur une affaire qui concerne votre ex-mari.

— Pierre ? Il lui est arrivé quelque chose ?

Le policier scrutait le visage de son interlocutrice, qui pour l'instant exprimait une authentique inquiétude. Hélène Damphousse avait entre cinquante et cinquante-cinq ans. Les traits étaient réguliers, les pommettes saillantes, les yeux très bleus dans un teint laiteux qui semblait révéler, plus que des antécédents de blonde, une maladie récente. Paupières tombantes, cheveux gris coupés au carré, hanches grasses, aucun maquillage : l'omnipraticienne signalait au monde qu'elle n'avait besoin d'aucun artifice pour séduire, voire qu'elle n'en avait ni l'intention ni le désir.

— Rassurez-vous, votre ex-mari est en pleine forme. Ma démarche vous semblera peut-être étrange, mais je ne peux vous révéler le fond de l'affaire. C'est une question de confidentialité.

Hélène Damphousse semblait chercher à lire dans ses pensées. Entre Beauport et la haute-ville, Surprenant avait eu le loisir de mesurer la hauteur et l'étroitesse de la corde sur laquelle il allait s'avancer. Il devrait obtenir un portrait de Parent, éclaircir certains faits, certaines dates, sans éveiller les soupçons d'un médecin expérimenté, dont le travail consistait, entre autres choses, à détecter les fraudeurs.

— Étrange, en effet. Vous voulez me questionner au sujet de l'homme de qui je suis divorcée depuis cinq ans, mais sans me dire pourquoi ?

— C'est à peu près ça.

— Vous comprendrez que ça m'intrigue un peu. Marchons, voulez-vous ?

Elle se détourna et s'enfonça dans le boisé qui séparait le stationnement de l'ancienne résidence du lieutenant-gouverneur. Surprenant lui emboîta le pas. En l'espace de quelques jours, les feuillus s'étaient presque complètement dénudés.

— Que voulez-vous savoir ?

— Vous connaissez Claude Duchesneau ?

— Pierre et moi l'avons fréquenté. À une autre époque.

— Avant votre séparation ?

— On ne se sépare pas seulement d'un conjoint, mais aussi de certains amis. J'appréciais Gaétane, mais je ne pouvais supporter Claude, qui de son côté adorait Pierre. Et Gaétane finissait toujours par suivre son Claude. C'est un mystère.

— Claude Duchesneau « adorait » Pierre ?

— Pierre était influent au CHUL. Il a su prévenir les conflits. Jusqu'à l'an dernier, si j'ai bien compris.

— Les deux hommes s'appréciaient-ils suffisamment pour souper en tête-à-tête un samedi soir ?

La femme fronça les sourcils.

— Ce serait nouveau. Chacun de leur côté, ils ont besoin d'un public. Féminin, de préférence.

— Votre ex-mari est un homme à femmes ?

— J'ai travaillé au CHUL jusqu'au moment où nous nous sommes séparés. J'y ai toujours des amies qui me tiennent au courant de la vie trépidante de Pierre. Certaines le font par affection, d'autres, pour des motifs moins… glorieux.

— Il a beaucoup trépidé depuis votre séparation ?

— C'est le démon du midi, n'est-ce pas ? En 2000 et 2001, il a surtout sévi à l'hôpital, une neurologue, une physiatre et une couple d'infirmières. Ensuite, il a compris le vieil adage : *Don't fuck with the payroll.* Il a eu diverses liaisons. Une professionnelle du golf, une propriétaire de galerie d'art, pour finir avec la plus mémorable, la Gosselin.

— Vous semblez en effet vous en souvenir.

— J'ai mes raisons. Après celle-là, Pierre a paru se calmer.

— Vous oubliez Diane Gagnon.

— Elle semble dans une classe à part. Les enfants m'en disent le plus grand bien.

— Vous ne l'avez jamais rencontrée ?

— Je n'y tiens pas.

— Quelles sont vos relations avec votre ex-mari ?

— Excellentes, évidemment. Nous savons vivre aujourd'hui. La sérénité est devenue une sorte d'industrie.

— Après cinq ans, vous vous intéressez encore beaucoup à lui.

Hélène Damphousse sourit.

— J'ai vécu avec Pierre pendant un quart de siècle. C'est l'homme de ma vie, je dois faire avec. Je rencontrerai peut-être un homme qui me plaira vraiment, mais il ne remplacera jamais ce que j'ai vécu avec lui et les enfants. Je n'ai pas d'illusions à ce sujet.

— Pourquoi vous êtes-vous séparés ?

Elle fit une pause, comme pour rassembler ses idées. Cinq ans après les faits, elle devait pourtant avoir une opinion claire sur la question.

— J'ai parlé d'illusions. Je les fuyais. Lui les pourchassait. Il m'a quittée, à cinquante ans, parce que je ne correspondais plus à sa conception de l'amour. Pierre a toujours cru qu'il existait un ailleurs meilleur. Alors, il court. La médecine, l'argent, les enfants, l'enseignement, la coopération internationale, le mécénat, tout ça ne lui suffisait plus. Il devait trouver le grand amour. Il a attendu que les enfants soient à peu près élevés et il m'a larguée, comme une vieille chaussette.

Surprenant ne dit mot. Il soupçonna qu'Hélène Damphousse paraissait d'autant plus zen qu'elle bouillait de rage.

— C'est l'expression consacrée, n'est-ce pas? J'ai l'air calme comme ça, mais j'ai voulu l'étriper. On commence sa ménopause, on engraisse, on dort mal, on voudrait souffler après la tourmente des enfants et là, à côté de vous, le beau brummel qui vous baise de moins en moins souvent s'élance à la poursuite de l'Éternelle Bien-Aimée. On traverse toutes les étapes du deuil, puis, un moment donné, c'est fini et on passe à autre chose.

— Vous êtes une femme raisonnable, dit Surprenant, qui pensait le contraire.

— Ne faites pas d'ironie, monsieur. Que voulez-vous savoir d'autre?

— Parlez-moi de lui, de son enfance, de sa famille. Je ne comprends pas très bien comment il fonctionne.

Au détour d'un sentier, ils débouchèrent sur un chemin asphalté qui dominait un vaste bâtiment au toit mansardé, qu'Hélène Damphousse désigna de son nez rougi par le froid.

— Vous croyez peut-être qu'il s'agit de l'ancienne résidence du lieutenant-gouverneur? C'était l'écurie.

Elle guida un Surprenant interloqué à travers le jardin où les rhododendrons se préparaient frileusement à affronter l'hiver.

— Pierre, c'est un peu ça: une écurie qui a l'air d'un manoir. Pour commencer, c'est un fils unique. Il vient de Giffard. Son père était un bon diable, qui travaillait comme ouvrier pour la municipalité. La mère était préposée à Saint-Michel-Archange. De grandes salles bondées de malades agités, pas beaucoup de moyens. Rose menait une vie sans agréments, mais elle avait de l'ambition. Pas pour elle. Pour son gars, qu'elle avait eu passé trente ans alors qu'elle croyait être stérile. Rose ne vivrait jamais en haute-ville, mais son Pierre!

— Je vous vois venir. Le petit gars de la basse-ville poussé par sa mère.

— Vous ne me voyez venir qu'en partie. Pierre réussissait les doigts dans le nez, mais il redoutait d'affronter les enfants de la haute. Il ne l'a jamais avoué, mais il souffre d'un profond sentiment d'infériorité.

— De là à parler d'écurie…

— Une écurie, ce n'est pas propre, mais c'est plein de chevaux.

— Continuez, si vous voulez bien.

— Je ne sais pas trop ce qui s'est passé pendant son cours classique. Il s'est fait quelques amis et il a réussi à entrer en médecine, ce qui n'était quand même pas une petite affaire. Le rêve de Rose se réalisait: son fils allait être un de ces docteurs en sarrau blanc qu'elle voyait passer en coup de vent dans les salles où elle torchait les forcenés. Il commençait son internat à l'Hôtel-Dieu quand Rose, le poteau de la maison, a commencé à présenter des symptômes de démence, à cinquante-six ans. Pendant qu'il faisait ses gardes, qu'il préparait ses examens, Pierre a dû s'occuper de ses parents. Le père était dépassé par la situation. Rose n'a même pas su que son Pierre était devenu spécialiste. Je l'ai connu pendant ces années-là. Ce n'était pas du tout le Dr Parent d'aujourd'hui. C'était le petit gars de Giffard qui recevait des appels du CHSLD qui hébergeait sa mère. Et qui allait écouter le hockey avec son père, le mercredi soir, quand il n'était pas de garde. Je ne sais pas ce qu'ils pouvaient se dire, mais Pierre se faisait une obligation d'y aller.

Passant une fontaine asséchée, Surprenant et Hélène Damphousse descendirent l'allée centrale du parc. À leur droite, devant l'arboretum, deux ouvriers décrochaient les balançoires et les filets d'un petit terrain de jeux.

— L'homme que vous me décrivez ressemble plutôt à un bon gars, conclut Surprenant.

— Pierre a poursuivi le rêve de sa mère, a pris soin d'elle quand elle a été malade et s'est ensuite appliqué à être un superdocteur. Ça a provoqué chez lui une sorte de dessèchement de l'âme. C'est un bon gars au cœur froid.

— Vous l'aimiez pourtant.

— L'amour est une malédiction ! On ne choisit pas. Pierre n'a jamais manqué de femmes prêtes à se porter volontaires pour résoudre son équation.

Après avoir longé un bosquet de grands sapins, ils arrivèrent à un kiosque de bois, muni d'un toit et de rambardes, juché sur un belvédère naturel face au fleuve. Hélène Damphousse lui montra, à gauche, une encoche dans la falaise.

— Regardez, c'est par là que Wolfe a atteint les Plaines.

— Vous me l'apprenez.

— Vous avez parlé tantôt d'un samedi soir. De quel samedi s'agit-il ?

Comme le marquis de Montcalm au matin du 13 septembre 1759, Surprenant faisait face à un dilemme. S'il répondait, il exposait Parent, et surtout Diane, aux indiscrétions d'une épouse délaissée. S'il se taisait, il renonçait à établir une entente avec l'ex de Parent et lui donnait, en quelque sorte, plein pouvoir pour mener sa propre enquête. Il comprit qu'il avait commis une erreur en la questionnant par la bande. Que savait Hélène Damphousse de la mort du fils de Diane ? Il l'ignorait.

Il choisit de rester à l'intérieur de ses fortifications. Il s'accouda au garde-corps et, d'une voix douce mais ferme :

— Je ne suis pas autorisé à vous le dire.

Hélène Damphousse fixait le Saint-Laurent, ses yeux délavés par la lumière.

— J'ai répondu à vos questions. Vous ne répondez pas aux miennes. Il y a là une sorte de déséquilibre. Pour votre gouverne, je sais que Pierre s'apprête à épouser Diane.

Le sujet était entre eux, inévitable, depuis le début de leur promenade.

— Il y a là aussi, peut-être, une sorte de déséquilibre, hasarda Surprenant.

Après un silence de plus de dix secondes, elle se retourna pour faire face aux jardins et à l'ancienne écurie.

— Vous connaissez sans doute l'histoire de la mort du dernier lieutenant-gouverneur qui a résidé ici ?

— Non.

— Paul Comtois est mort dans l'incendie qui a détruit le manoir, en février 1966. Le feu s'est déclaré pendant la nuit. Il s'est assuré que sa famille et ses invités étaient en sécurité, puis il est retourné dans la chapelle pour sauver les saintes espèces. Il a rôti avec ses hosties.

Surprenant ne dit rien, attendant la clef de la digression.

— Pierre est retourné dans le feu. Il joue encore au superdocteur. Il veut guérir les plaies de cette femme. Pour ce qui est du déséquilibre, ce n'est peut-être pas celui que vous croyez.

Le fleuve, tourmenté par la marée montante, coulait sous le ciel maussade.

— Je vous en ai assez dit, trancha Hélène Damphousse. J'ai rendez-vous chez la phlébologue. Nous sommes égaux devant la mort, mais avant, on n'est pas obligés de souffrir de nos varices !

— Une dernière question : votre ex-mari a-t-il un mets préféré ?

— L'agneau à la moutarde. Il adore ça.

De retour dans le Cherokee, Surprenant sortit son carnet et dessina quatre cercles. Dans le premier, intitulé 2000-2001, il écrivit « neurologue — physiatre — infirmières ». Les trois autres contenaient les mots « golf », « galerie » et « Gosselin ».

11

Savoir perdre

Surprenant gagna la basse-ville par la côte Salaberry et appela Santerre.

— Ton carnet a-t-il retrouvé la mémoire ?

— Elle cherche, elle cherche. Où en es-tu ?

— Depuis son divorce, Parent est devenu une sorte de séducteur en série.

— On ne peut pas le coffrer pour ça.

— J'ai de nouvelles pistes. Je m'en vais au poste.

À son arrivée à Lac-Beauport, Lucie lui remit trois enveloppes contenant les cadastres et les listes des propriétaires demandés la veille, de même qu'un fax provenant de la SAAQ. Surprenant s'isola dans son bureau, se prépara un double espresso et se plongea dans l'examen des documents.

L'historique du véhicule révélait essentiellement deux faits : le Honda CR-V 2001 avait été acheté en juillet 2001 et revendu le 12 janvier 2004 à Portneuf Nissan, moins de trois mois après l'accident.

Surprenant prit le téléphone. Le vendeur à qui il parla possédait les deux qualités d'un bon informateur : de la mémoire et de la jasette.

115

— Parent... Je replace le bonhomme. Ces docteurs-là, c'est pas des clients compliqués. Il a pris le Pathfinder le plus luxueux, sans marchander. J'ai même fait une bonne affaire en revendant son CR-V.

— Vous avez remarqué quelque chose à l'inspection du Honda?

— Attendez. Bas kilométrage. État impeccable. L'échanger au garage au bout de deux ans, pour lui, c'était la pire option.

Surprenant nota, à tout hasard, le nom et l'adresse du nouveau propriétaire, un entrepreneur de Saint-Marc-des-Carrières. Il contacta le registre des sinistres automobiles. Le CR-V n'avait fait l'objet d'aucune réclamation. À part la date de vente, élément peu probant, le véhicule de Parent n'avait rien à lui révéler.

Il étala sur son bureau les cadastres. Le lac Saint-Joseph, sorte de S gras et irrégulier, orienté nord-sud, était ceinturé par le chemin Thomas-Maher. À l'exception de quelques chemins de campagne, peu fréquentés, les riverains ne quittaient le lac vers Sainte-Catherine que par deux routes : celle de Duchesnay, à l'ouest, et celle de Fossambault, à l'est. L'accident s'étant produit sur cette dernière, le chauffard devait avoir un lien avec les résidants de la rive est du lac. Ceux-ci habitaient deux zones différentes : le nouveau développement de Fossambault-sur-le-Lac, pour la classe moyenne, et les luxueuses propriétés de Lac-Saint-Joseph, qui bordaient le lac le long du chemin Thomas-Maher. Si Parent était le conducteur qui avait heurté Jonathan Gagnon, il était possiblement relié à l'un de ces richards.

Surprenant ouvrit la liste des propriétaires de Lac-Saint-Joseph et s'attela à la tâche. Aucun déclic ne se produisit, même quand il la confronta avec la liste des médecins membres du CMDP du CHUL ou avec le nom de « Gosselin », fourni le matin par Hélène Damphousse. Il élargit sa recherche à Fossambault-sur-le-Lac et aux propriétaires de la rive ouest : rien, si ce n'est qu'il fit connaissance avec une dame Gosselin qui ne semblait entretenir aucun lien avec Parent.

À quatorze heures, excédé, il rangea sa documentation, son carnet, retourna le dossier Gagnon aux archives et se changea les idées en se rendant sur les lieux d'une altercation entre deux automobilistes à Stoneham. La futilité de l'incident qui avait mené à la bagarre, l'air frais et le voisinage des montagnes lui permirent de mettre sa frustration en perspective. La piste Parent aboutissait à un cul-de-sac. Dans ces circonstances, il devait, contrairement à l'idiot qui avait embouti l'arrière de la Camaro d'un ex-champion canadien d'haltérophilie, lever le pied et prendre du recul.

Il devait se débarrasser de cet enfant mort que son assassin, moderne Ulysse, avait abandonné sur les berges de la rivière, comme un cadeau empoisonné.

* * *

Le samedi, le sud du Québec fut assailli par la queue de l'ouragan Vivian. Dans une lumière d'apocalypse, des trombes d'eau s'abattirent sur la ville, charriées par des vents d'est qui amputèrent d'une grosse branche le saule qui gardait le coin sud-est de la cour du château fort.

Nonobstant les intempéries, la vie suivait son cours. Surprenant accompagna William à sa partie de hockey, s'initia à *Fantasy* sur la console de jeux d'Olivier et acheta, en compagnie de Geneviève, les matériaux nécessaires à la phase deux du projet de rénovation du sous-sol.

Il téléphona à ses enfants à Montréal. Félix, au bout de son portable, entreprenait son quart de soir dans son

117

dépanneur d'Hochelaga-Maisonneuve. Quelques grognements et réponses sibyllines ne permirent pas à Surprenant de déduire si son fils était toujours inscrit au collège ou s'il s'était laissé appâter par la perspective de s'enrichir dans le merveilleux monde de la cybertechnologie. Maude, quant à elle, était empêtrée dans un dilemme sentimental. Comment son copain Laurent accepterait-il la visite impromptue de Jaromir, un Tchèque en compagnie de qui elle avait passé une semaine *malade* à Barcelone l'année précédente ?

À toujours signaler les écueils, un capitaine rend ses matelots inattentifs. Surprenant lui suggéra d'adopter une politique de transparence, sans lui révéler le fond de sa pensée : à vingt ans, elle pouvait s'amuser sans rendre de comptes à un copain qui, peut-être, ne lui inspirait pas de sentiments profonds. Cela, elle devait le découvrir elle-même.

Surprenant éprouva la bienfaisante sensation d'être relié à ces jeunes vies qui poussaient en tous sens. La sienne semblait avoir trouvé son sillon, ce qui lui occasionnait un certain vertige. La mort, au bout de ce chemin, était une hôtesse inéluctable. Au soir de sa vie, se sentirait-il plus serein s'il avait varié ses expériences au lieu de s'enfermer dans cette confortable existence de patriarche ?

* * *

Une Diane âgée, au visage flasque, fait du bénévolat auprès d'une secte d'adorateurs du soleil. Plus tard, elle le double sur l'autoroute, juchée sur la selle d'un Harley. Squelettique sous une camisole qui révèle sa cicatrice, elle le menace d'un doigt-carabine. Devant elle, Johnny Gagnon, le bas du visage caché par un mouchoir aux couleurs du Canadien, conduit, ses bras maigres accrochés à de gigantesques guidons.

Le mardi, Surprenant se rendit à Sainte-Catherine. Les nuages avaient filé, le temps doux évoquait l'été des Indiens. Le stationnement du bar était désert, les lettres « CHEZ RAYMOND », éteintes. La porte affichait « FERMÉ ». Surprenant traversa la rivière et passa devant la maison de Diane. La Civic n'était pas dans la cour.

À tout hasard, il se rendit chez Johnny Gagnon.

Le père de Diane habitait un petit cottage à toit mansardé, à deux rues de l'église. Surprenant le trouva en train de corder du bois dans sa remise. À son « Bonjour ! », l'ancien bûcheron répondit par un « S'lut » laconique. L'expression du visage, fermée, tendue, était à l'avenant. Malgré les efforts que Surprenant avait déployés pour identifier le responsable de la mort de son petit-fils, Johnny Gagnon lui avait toujours manifesté une certaine froideur. Le malheur n'était pas arrivé par lui, mais c'était tout comme.

Gagnon délaissa sa besogne et s'avança vers Surprenant, comme s'il défendait sa propriété.

— Vous avez choisi votre journée pour passer.

Avec son visage buriné, ses larges épaules dont il ne subsistait plus que l'ossature, ses jeans serrés sur des hanches d'adolescent, son parler délibéré, le bûcheron évoquait, le chapeau et la cigarette en moins, un Lucky Luke vieillissant et lucide.

— Justement, j'ai choisi. J'ai besoin de dire un mot à votre fille.

— Elle a fermé le bar. Comme l'an passé.

— Elle n'est pas chez elle non plus.

— Elle est à mon camp, si vous voulez savoir.

— Vous pourriez me parler sur un autre ton.

Gagnon avait dû faire face, sur les chantiers, à sa part de durs. Il ne cilla pas, mais son expression trahit un bref désarroi.

— J'ai rien contre vous, mais je me demande ce que vous faites *encore* à Sainte-Catherine, à part virer tout le monde à l'envers.

— Je venais justement dire à Diane que je classais le dossier. Pour de bon.

Gagnon garda le silence.

— On le trouvera pas, ajouta Surprenant.

— Prendriez-vous un verre d'eau?

Le vieil homme invita Surprenant à utiliser l'une des deux berçantes qui agrémentaient la galerie et disparut à l'intérieur. Surprenant s'assit. La maison étant située sur une éminence, il découvrait, en contrebas, le pont et la rivière. Au loin, la forêt, maintenant grise, donnait au temps doux une saveur de trêve. Deux chaises. Maintenant que sa femme et son petit-fils étaient morts, que son fils s'était exilé à Toronto, Johnny Gagnon n'aurait plus que sa fille, ou peut-être un vieil ami de chasse, pour lui tenir compagnie, le dimanche, sur sa galerie.

Gagnon revint avec ce qui semblait être pour lui un délice: deux grands verres d'eau dans lesquels baignaient une rondelle de citron et des glaçons.

— Pourquoi abandonnez-vous, comme ça, tout d'un coup?

— Je n'ai pas de pistes, pas de témoins, pas de preuves.

— N'empêche. Vous étiez au bar encore la semaine passée. Sans parler des démarches que vous faites au presbytère, à la municipalité…

— Vous êtes bien informé.

— On n'est pas à Paris ici.

Les deux hommes, assis côte à côte, regardaient la rivière.

— Craignez pas! reprit Gagnon sur un ton presque amusé. J'ai rien dit à Diane. Ça servirait à rien.

— Elle refait sa vie.

— Ça ressemble à ça.

— Ça doit vous faire plaisir ?

Gagnon but. Sous la peau ridée, tannée, de son cou, sa pomme d'Adam monta, demeura immobile puis descendit brusquement, comme mûe par un mécanisme.

— Parmi tous les gars que Diane a choisis, il n'y en a pas eu un à mon goût.

— Les pères, on est tous pareils là-dessus. Qu'est-ce qu'il a, celui-là ?

Johnny Gagnon hocha la tête.

— Comment dire ? Trop parfait, trop chromé.

— Comment ça ?

— Si vous le croisez, vous le saurez. Mais j'ai soixante-dix-sept ans. Elle a l'air heureuse, je la laisse aller.

Surprenant eut l'impression qu'il n'en apprendrait pas davantage.

— J'ai mis trop de moi-même dans cette histoire. Moi aussi, je dois la laisser aller.

Surprenant se tourna vers le père de Diane. Le vieil homme avait les yeux pleins d'eau. Il leva sa grosse main et la posa sur son épaule.

— Ça paraît pas, mais toi, je t'ai toujours aimé. Deux ans d'enquête, j'imagine que c'est assez.

Étreint par une étrange émotion, Surprenant pensa que son père, s'il était vivant, avait dix ans de moins que Johnny Gagnon.

— Deux ans, c'est en masse.

— Si je comprends bien, tu voudrais que je te dise comment te rendre à mon camp.

* * *

La maison était froide et inhospitalière malgré le soleil éclatant. Les feuilles mortes brillaient sur le gazon

121

jauni. Il avait gelé, comme Jules l'avait prédit la veille. Mi-octobre, premier gel, c'était dans l'ordre des choses. L'anniversaire de l'accident de Jonathan s'inscrivait dans cette saison de mort et de pourriture. Diane monta sur sa balance, frissonnante. Cinquante-deux kilos. Le cancer ne l'aurait pas. Robe de chambre, pantoufles, elle passa devant la chambre nue et s'adonna à son rituel du matin. Première attisée, nourritures terrestres et chimiques, chant lointain de la rivière. Comme un tournesol, elle se tournait vers la lumière.

Malgré l'amour de Pierre, malgré le mariage prochain, la douleur était toujours là.

Pourquoi tant de peine, tant de colère ? Jonathan était mort avant son heure. En cela, il n'était pas différent des dizaines d'enfants qui meurent chaque minute de maladie ou de malnutrition, dans ces pays où leurs mères seraient heureuses de simplement vivre en sécurité près d'une source d'eau potable.

Johnny avait raison, avec son visage impénétrable. Être sage, c'était savoir perdre. Il s'inclinait avec élégance, comme si la vraie partie était ailleurs. Il ne croyait en rien, ne fréquentait l'église que pour assister aux funérailles de ses amis. Sa religion, c'était le bois. Ses arbres, qu'il entretenait, coupait et vendait, et qui le protégeaient de leur ombre. Y vivaient les animaux, lièvres, perdrix, chevreuils, loups, orignaux, castors, qu'il observait et qu'il tuait, pour la viande le plus souvent, mais aussi pour participer au cycle de vie et de mort.

Elle, de son côté, après avoir épuisé sa jeunesse à poursuivre les mirages des mots et de la ville, était à moitié folle à cause de la mort de son fils, un sein en moins, comme une amazone vengeresse. Un accident, le destin se fondant dans la nuit noire, les feux arrière ironiquement allumés. Et cette offrande cruelle, ce corps rendu à la rivière, trois jours plus tard, comme un os qu'on lui aurait laissé à ronger.

Ce 18 octobre, elle se fit deux cadeaux. À dix heures, elle se rendit chez un concessionnaire Volkswagen du boulevard Charest et y prit possession d'une Golf neuve, équipée d'un toit ouvrant. Elle l'acceptait : l'amour de Pierre la délivrait de ses soucis d'argent. Elle écouta impatiemment les instructions du vendeur avant de sortir au soleil de midi. Comme une accidentée délivrée de ses plâtres, elle testa avec joie le mouvement de son fauteuil roulant. Au volant de ce petit bolide noir, elle pouvait promener sa rage ou son bonheur de par le monde. Plus précisément, elle pouvait rouler à cent cinquante sur l'autoroute 40, des kilomètres et des kilomètres de bonheur infantile, accompagnée par un CD du vieux Springsteen, qu'elle avait inséré dans le lecteur.

Is a dream a lie if it don't come true
Or is it something worse
that sends me down to the river
though I know the river is dry

Piano, guitares, voix rocailleuse, elle était une réfugiée des années 1970. À seize ans, dans ce village où elle rêvait de la ville, elle vivait par les livres et les disques que lui faisait découvrir Denis Faubert. D'après le dernier rapport de Francine, il achevait sa course entre Robert-Giffard, le refuge de Lauberivière et divers centres de désintoxication, comète à demi-chauve, sa crinière réduite en une queue de rat poivre et sel. Que se passerait-il si elle l'hébergeait quelques semaines dans la chambre nue ? Le bois qu'il avait fui lui rendrait-il sa dignité ?

Que penserait Pierre de ce fantôme du passé ? Il n'approuverait pas. Il l'aimait, certainement, puisqu'il lui avait demandé de l'épouser. Pourtant, une partie d'elle, sa face rebelle, rêveuse, n'entrait pas dans sa vie.

De retour chez elle, elle prépara son sac à dos: un livre, une bouteille de bordeaux, quelques provisions, sa carabine. Elle rangea le tout dans la Golf qui sentait bon le cuir neuf. Vingt nouveaux kilomètres, cette fois vers l'est, jusqu'au mélèze qui signale la terre de Johnny. Elle immobilisa la voiture dans une clairière gravelée.

Le silence n'était total qu'en apparence. Quand, chargée de son sac et de son arme, elle s'engagea dans le sentier, elle retrouva le chant ténu de la forêt, le frôlement du vent dans les cimes des épinettes, le martèlement des pics, le bruissement des chouettes, la rumeur infime des feuilles qui virevoltaient entre les érables et les trembles, le craquement des branches, le chuintement de la terre humide sous ses semelles. Cet univers autonome, permanent, la rassurait. Enfant, elle l'avait parcouru derrière Johnny. Son frère Gilles ne s'y était jamais intéressé. Plus tard, quand l'homosexualité de son fils était devenue flagrante, Johnny s'était rabattu sur elle, la *floune* impétueuse, le garçon manqué. Elle l'avait suivi en forêt, au déplaisir de sa mère qui craignait que sa fille ne devienne aussi sauvage que son mari, cet homme taciturne qui avait toutes les misères du monde à la sortir le samedi soir.

Elle avait quitté le village à dix-sept ans. Elle y était revenue à quarante. Elle avait recommencé à accompagner son père dans le bois, cette fois avec Jonathan. Avant de mourir, il avait eu l'occasion de coucher trois ou quatre fois au camp de son grand-père. Pas de téléphone, pas d'électricité, pas d'Internet. Aujourd'hui, second cadeau, elle s'offrait elle-même ce plaisir.

Le camp était une cabane de bois rond, bâtie à l'ancienne, percée de fenêtres sur trois côtés. Son seul luxe était la véranda, un bel appentis de pin blond, tendu de moustiquaires, que Johnny avait construit pendant la dernière maladie de sa femme. La clef, rempart symbolique dans ce lieu isolé, était à sa place derrière le troisième pilier de la véranda. Le camp sentait la poussière et l'humidité. Il y flottait aussi une odeur douceâtre, insistante, celle du sang.

Elle ouvrit grandes les portes et les fenêtres, et s'examina dans le miroir piqueté de la salle de bains. Ses joues étaient rouges, ses yeux, brillants. Diane la chasseresse avait vaincu.

Le soleil baissait, il ferait noir dans trois heures. Elle prit sa 22 et sortit du camp. Des pas à sa gauche. Surprenant déboucha du sentier, nonchalamment, comme un randonneur du dimanche.

Il leva les bras.

— Ne tirez pas.

— Qu'est-ce que vous faites ici ?

— J'ai à vous parler.

— Aujourd'hui ?

— Aujourd'hui, justement.

Son visage, sérieux, semblait appartenir à un soldat qui, sur le terrain, rendrait compte à un officier d'une situation difficile.

— Si vous avez roulé et marché jusqu'ici, j'imagine que vous avez vraiment besoin de me parler. Vous avez découvert quelque chose ?

— Ce serait plutôt le contraire.

— Vous abandonnez l'enquête ?

— Vous avez été malade, vous allez vous remarier. Il est temps, pour moi comme pour vous, de tourner la page.

Cet homme voulait être soulagé par sa décision. Il ne l'était pas. Lui cachait-il quelque chose ?

— Vous m'informez ou vous me consultez ?

125

— À moins qu'un fait nouveau ne se présente, je ne vois pas ce que je peux faire de plus.

Il restait là, debout, comme un écolier qui demande la permission d'aller aux toilettes.

— Vous avez fait ce que vous pouviez. Je vous remercie.

Il la regardait. Il voulait lui dire quelque chose, mais il n'osait pas. Curieusement, le policier semblait éprouver plus de chagrin à lui annoncer qu'il abandonnait l'enquête qu'il n'en avait eu, deux ans plus tôt, à lui confirmer la mort de Jonathan.

— Je vous souhaite bonne chance.

Qu'allaient-ils faire ? Se serrer la main ? S'embrasser sur les joues, comme des amis ? Ils se trouvaient seuls, pour la première fois, au milieu de cette forêt.

Il rompit stoïquement et disparut par le sentier, la laissant vide et désemparée.

12

Micheline Gosselin

Le lendemain, le mercure grimpa à vingt et un degrés, si bien que Surprenant dîna d'un sous-marin et d'un café devant le lac Beauport. L'eau à peine ridée, d'un bleu profond, s'accordait à son état d'âme. L'abandon de l'affaire du petit gars de Sainte-Catherine l'avait délivré d'un poids. Il ne lèverait pas la main pour s'objecter à ce que Diane et Parent convolent en justes noces.

Il retournait au poste lorsque la radio s'insinua dans les méandres de sa rêverie.

« Faut en revenir, de Louis XV et de la Pompadour !… »

Cet extrait d'une répartie d'un politicien fédéraliste irrité par le battage médiatique entourant le trente-cinquième anniversaire de la crise d'Octobre fit surgir dans la mémoire de Surprenant *la Gosselin* qu'avait évoquée Hélène Damphousse lors de leur entretien au Bois-de-Coulonge.

La Pompadour, la Corriveau, la Bolduc, la Gosselin… La tournure semblait réservée à des femmes qui se démarquaient, pour de bonnes ou de mauvaises raisons. Elle pouvait aussi révéler, de la part de la personne qui l'employait, une antipathie, voire de la jalousie, envers une femme qui n'avait rien de remarquable. Qui était cette Gosselin que l'ex de Parent avait qualifiée de mémorable et après laquelle, semblait-il, il s'était « calmé » ?

Surprenant, seul au volant de sa voiture de police, fit non de la tête, ce qui causa des palpitations au retraité qui le croisa au même moment sur le boulevard du Lac, à bord d'un Mercury Marquis au silencieux percé. Une demi-heure plus tard, Surprenant, n'y tenant plus, demandait à Santerre s'il connaissait quelque part dans le Grand Québec, une dame qui puisse être, de notoriété publique, « la Gosselin ».

L'Orignal, au-dessus de son cappuccino, se composa une mine dubitative.

— Des Gosselin, par ici, il y en a assez pour tuer avec un bâton, comme on dit en Louisiane.

— Tu es déjà allé en Louisiane ?

— J'ai été acadien, dans une autre vie.

Surprenant ne put s'empêcher de consulter Internet, le bottin, la secrétaire, les agents, sans résultat. Des appels au DSP du CHUQ et à Claude Duchesneau ne furent pas plus heureux : apparemment, Parent n'avait fréquenté personne qui portât le nom de Gosselin.

— À moins qu'il l'ait baisée sur la *slide* ! insinua, guilleret, Duchesneau.

— C'est possible ?

— Je vous l'ai dit : j'aurais pas laissé Gaétane toute seule avec lui.

— Vous maintenez toujours votre version ?

— Comment ça, ma version, espèce de *malautrou* ?

L'anesthésiste raccrocha brutalement. Le tympan endolori, Surprenant se demanda si cette deuxième référence de Duchesneau à l'extrémité de son tube digestif, conjuguée à sa mauvaise mine, ne cachait pas quelque mal intime, fistule ou cancer du rectum. Par ailleurs, son hypothèse d'une relation cachée n'était peut-être pas farfelue.

Santerre l'appela à quatre heures moins quart.

— J'ai consulté mon carnet. Elle a retrouvé son souvenir de Parent. Ça va te décevoir. Elle l'a vu plusieurs fois au Club musical. Il occupait toujours le même siège, avec une dame bon chic bon genre, cheveux poivre et sel.

— Ça ressemble à sa femme. Rien pour m'avancer.

— Par contre, elle a une hypothèse pour ta Gosselin. Micheline Gosselin, agente immobilière. Tu as sûrement déjà vu sa photo sur ses pancartes.

— Pourquoi elle ?

— Elle est spécialisée dans les propriétés de prestige. Elle se promène en Porsche, elle pète plus haut que le trou. Ça semble être quelqu'un qui pourrait se faire appeler *la Gosselin*.

Nouvelle fouille sur Internet. Montcalm, Sillery, Île-d'Orléans, Lac-Saint-Joseph, Micheline Gosselin faisait effectivement dans le haut de gamme. Surprenant agrandit une photo de l'agente : sourire forcé, cheveux trop noirs, une expression plaquée qui suggérait des recours à la chirurgie — globalement, un visage quelconque mais bien arrangé.

Il composa le numéro indiqué sur le site, contourna une secrétaire en invoquant une affaire urgente, et joignit l'agente dans ce qui, s'il fallait en juger par le bruit de fond, devait être sa Porsche.

— Micheline Gosselin ?

— Elle-même.

— Je suis un ami de Pierre Parent.

Le silence qui suivit pouvait autant être attribué à une réaction de surprise qu'au désir d'en savoir davantage.

— Vous parlez de l'entrepreneur ou du cardiologue ?

— Du cardiologue.

— J'ai rendez-vous dans cinq minutes. Qui êtes-vous, pour commencer?

Le ton était professionnel, la voix, commune.

— André Surprenant, sergent-enquêteur à la SQ.

Nouveau flottement.

— Je stationne. De quoi voulez-vous me parler?

— J'enquête sur un délit de fuite mortel survenu en 2003.

— Quoi?

La surprise et l'indignation semblaient sincères.

— Fréquentiez-vous Parent à cette époque?

— Je suis mariée. Pierre était un client. Je ne sais rien de cette histoire de délit de fuite.

— Le 18 octobre 2003, Jonathan Gagnon, douze ans, a été frappé mortellement sur la route de Fossambault, vers vingt-deux heures.

— Jamais entendu parler de cet accident. Si je me souviens bien, j'étais à Las Vegas avec mon mari à cette époque.

— Avez-vous été la maîtresse de Pierre Parent?

La question, directe, fit sortir Micheline Gosselin de ses gonds.

— Saint-Ciboire! C'est son ex qui a dit ça?

— Je n'ai pas à vous révéler mes sources.

— Une folle à attacher! Faites votre enquête, vous en apprendrez des pas pires.

— Où habitez-vous, madame?

— Dans le Vieux-Port. Quel rapport a Pierre Parent avec ce délit de fuite?

— J'aimerais vous rencontrer, madame.

— Je suis désolée, mais je n'ai rien à vous apprendre. Je n'ai jamais été la maîtresse de Pierre Parent, ni d'aucun de mes clients d'ailleurs, je ne connais rien de cet accident, et je vais être en retard à mon rendez-vous!

Surprenant lui donna ses coordonnées. Micheline Gosselin coupa la communication. L'agente immobilière s'était montrée sur la défensive, mais sa surprise et surtout son ignorance de l'accident lui avaient paru authentiques. Elle était mariée et ne tenait pas à ébruiter une liaison avec Parent, si celle-ci avait été autre chose que le fruit de l'imagination de son ex-épouse. Il pourrait la relancer, mais il avait affaire à forte partie.

Il se sentit vaguement honteux, comme un toxicomane après une rechute.

* * *

Il est perdu dans une forêt touffue, qui ne laisse pas entrer le soleil. Il discerne la lumière lointaine d'une clairière. Quand il y parvient, tout heureux d'y voir suffisamment pour consulter sa boussole, il tombe sur un gigantesque coq en béton, dont la crête est surmontée d'une mitrailleuse.

Le lendemain matin, Surprenant nourrit Chat et attendit que les garçons soient levés pour s'installer, en robe de chambre, à son piano. Pendant qu'ils allaient se barricader dans la salle de séjour, il joua, fort mal, le début de la première partita de Bach. Comme de plus en plus de choses dans sa vie, la pièce qu'il avait maîtrisée vingt ans plus tôt faisait partie de sa gloire perdue.

Si bémol encore, il retrouva la mélodie de *My Foolish Heart.*

There's a line between love and fascination

Le *foolish*, c'était lui : rien ne l'empêchait d'interroger directement Pierre Parent. Il avait possédé un CR-V que la police avait déjà contrôlé. Il n'avait qu'à lui demander de ne pas parler de sa démarche à Diane Gagnon, ce dont le cardiologue serait sûrement heureux.

Il appela au CHUL à neuf heures et laissa un message. Parent ne le rappela qu'à midi et demi. D'une voix presque radiophonique, il demanda :

— Sergent André Surprenant ?

— J'aimerais vous rencontrer.

— À quel sujet ?

— Au sujet de Jonathan.

Au bout d'un court silence, Parent reprit, sur un ton plus intime qui manifestait, sans la cacher, sa préoccupation.

— Le CR-V, évidemment… Êtes-vous certain que vous avez besoin de revenir là-dessus en ce moment ?

— Vous comprenez que la coïncidence est troublante.

— Mais enfin ! J'étais à Baie-Saint-Paul ce soir-là. Je vais épouser Diane. Où voulez-vous en venir ?

— Vous pouvez passer au poste à Lac-Beauport ?

— Pourquoi pas chez moi, ce soir, à dix-neuf heures ?

— D'accord.

— Vous connaissez mon adresse, peut-être ?

— 1052 Moncton. À ce soir.

— Je vous attendrai.

13

Le chemin de miséricorde

Surprenant se présenta avenue Moncton à dix-neuf heures quinze. Son retard était volontaire : Parent avait dicté l'heure et le lieu de la rencontre, il tenait à lui signifier qu'il ne contrôlait pas totalement la situation. La nuit était tombée. De l'autre côté de la Grande Allée, sous les lampadaires de l'anneau de course des Plaines, des joggeurs, des couples, des propriétaires de chien profitaient de l'air du soir.

— Entrez, dit froidement Parent.

Chandail à col roulé, pantalon de velours côtelé, souliers de cuir luisant, le médecin était mis de façon élégante, décontractée et un brin démodée. Il paraissait plus jeune que sur ses photographies. Malgré un affaissement du menton et des rides qui lui conféraient une ressemblance avec un épagneul, le regard était vif, la démarche, souple et vigoureuse.

— Café ? Digestif ?

Surprenant refusa et se laissa conduire jusqu'à un fauteuil de cuir brun, non loin d'un foyer. Avec ses deux grands salons doubles, ses plafonds de dix pieds, ses moulures de plâtre, ses boiseries de pin sombre, son couloir lambrissé, l'appartement était l'archétype du style néo-victorien qui faisait la gloire de Montcalm. Les murs crème étaient tapissés de masques africains et de photographies d'enfants, dont une bonne moitié de race noire. La pièce contiguë au salon, qui occupait la tourelle d'angle, faisait office de bureau. Une lampe en bronze éclairait des revues, des manuels de référence, des articles de journaux, un ordinateur portable : cet appartement n'était pas seulement le nid d'un esthète, mais aussi le lieu de travail d'un praticien renommé. L'ensemble dénotait l'aisance et le bon goût.

— Qu'est-ce que je peux faire pour vous, sergent Surprenant ?

Muni de ce qui ressemblait à un verre de porto, Parent s'assit en face de Surprenant, dans un fauteuil identique au sien. Son expression était attentive, polie, tout en laissant poindre un certain agacement.

— Comme vous le savez sans doute, j'enquête sur la mort de Jonathan Gagnon.

— Diane m'a raconté. Vous vous êtes beaucoup démené pour retrouver ce chauffard.

— Nous avons suivi plusieurs pistes, en effet. Entre autres, une policière du SPVQ* a vérifié votre CR-V trois jours après l'accident.

— Je m'en souviens très bien, maintenant.

— Maintenant ?

Parent sourit.

— Pour vous, le coup de téléphone que m'a passé cette policière, il y a deux ans, est important. Il fait partie d'une enquête à laquelle vous avez consacré beaucoup d'énergie. Pour moi, cet appel, c'était soixante ou quatre-vingt-dix secondes dans une journée chargée, au sujet d'un accident dont je ne connaissais même pas l'existence.

---

* Service de police de la Ville de Québec.

— Vous ne lisez pas les journaux ?

— Je ne suis pas très « faits divers ». Je travaille, j'écoute de la musique, je regarde les nouvelles internationales en fin de soirée. Ce jour-là, j'ai simplement enregistré qu'une policière désirait inspecter mon CR-V dans le cadre d'un délit de fuite.

— Vous n'avez pas voulu en savoir davantage ?

— Non. Elle m'a demandé où j'avais passé mon samedi soir. Je lui ai fourni le nom et le numéro de téléphone de Claude Duchesneau, et je suis retourné à mon patient.

Parent dégusta une gorgée de porto, lentement, en connaisseur.

— Donc, vous avez rencontré Diane Gagnon sans savoir qu'elle était la mère de l'enfant impliqué dans l'accident pour lequel votre CR-V avait fait l'objet d'une vérification ?

Parent ouvrit les bras dans un geste de stupéfaction.

— Mais évidemment ! Vous imaginez quoi ?

— Admettez que la coïncidence est… désarçonnante.

— Tellement désarçonnante que lorsque je m'en suis rendu compte, au printemps dernier, je n'ai pas osé en parler à Diane. Il était trop tard ! Que serait-il arrivé si elle ne m'avait pas cru ?

« Nous y voilà », pensa Surprenant. Parent vida son verre de porto d'une traite, comme ému de sa tirade.

— Vous en voulez ? demanda-t-il en remarquant que le policier couvait son verre des yeux.

— Pourquoi pas ?

Le médecin se leva, toujours aussi vif, et disparut dans la cuisine, ce qui laissa le temps à Surprenant d'élaborer un plan de match.

Le porto était excellent.

— Vous m'avez bien dit que vous n'aviez appris l'histoire du CR-V que le printemps dernier ?

— Ça vous paraît sans doute incroyable. Pour comprendre, vous devez savoir comment notre relation s'est développée.

— Allez-y.

— L'an dernier, j'ai acheté un chalet au lac Sept-Îles. J'aime bien mon appartement, mais je cherchais un lieu tranquille où décompresser.

Surprenant songea à Micheline Gosselin. Avait-elle été impliquée dans cette nouvelle transaction? Il garda l'atout dans sa manche.

— Sainte-Catherine est un village tranquille, un peu ennuyant. Un soir, je suis entré dans ce bar, devant lequel je passais chaque week-end. Diane était là, derrière son comptoir. Nous avons échangé quelques mots. Vous la connaissez. C'est une femme attirante, qui a du cœur et de l'esprit.

« Il s'est passé quelque chose. J'ai pris l'habitude de revenir, chaque semaine. Je sentais bien qu'elle avait été éprouvée. Au bout d'un mois, je l'ai invitée chez moi. Elle m'a parlé de son cancer du sein. À propos de Jonathan, elle a seulement dit qu'il était mort dans un accident, sans plus de détails. Le sujet était sensible, je n'ai pas posé de questions.

« Notre relation évoluait, mais il y avait toujours cette ombre : elle ne me présentait ni son père ni ses amis. Littéralement, elle ne m'ouvrait pas sa porte. J'étais son amant, mais pas encore son conjoint. Je croyais qu'elle voulait savoir si j'étais vraiment attaché à elle, à cause de son sein.

« Au printemps, elle a dû juger que j'avais passé le test. Un vendredi, elle m'a invité à manger et à dormir chez elle. Elle m'a montré la chambre et l'urne. Elle m'a raconté l'histoire de Jonathan, cette fois de A à Z. Ça sortait de sa bouche comme un torrent. Elle m'a parlé du CR-V. Ce n'est qu'à ce moment que j'ai fait le rapprochement. »

— Et vous avez jugé qu'il était trop tard pour révéler la coïncidence.

Surprenant appuya sur le dernier mot. Parent eut un geste d'impatience.

— Votre métier vous rend méfiant. Vous ne voyez pas la vérité, toute simple, sous vos yeux.

— Excusez-moi, mais votre vérité n'est pas simple.

— Si j'avais tué Jonathan, même par accident, croyez-vous que j'aurais été assez imbécile pour m'approcher de sa mère?

Assis au bout de son fauteuil, Parent plaidait sa cause, verre levé, comme un convive à une table animée. Surprenant dut admettre que le médecin semblait moins agité par la peur d'être découvert que par la douleur de se voir soupçonné.

— Êtes-vous amoureux, docteur?

— Plus que je ne l'ai jamais été.

— Vous avez été assez gâté de ce côté, d'après ce que j'ai découvert.

— Qu'est-ce que vous voulez dire?

— J'ai rencontré votre ex-épouse. Vous ne vous êtes pas précisément ennuyé ces dernières années.

Parent se renfonça dans son fauteuil et respira profondément, agacé.

— Vous êtes vraiment têtu. Hélène a mal accepté notre séparation. Je me suis marié jeune, nous avons eu de belles années, et puis tout s'est déglingué. Je n'ai pas à vous rendre compte de mes actes. Aucune de ces femmes ne m'a donné envie de l'épouser. Diane, c'est différent.

— À première vue, vous n'avez rien à y gagner. Du moins financièrement.

Parent vida son verre et posa sur Surprenant un regard où perçait une franche irritation.

— La provocation semble faire partie de vos techniques d'interrogatoire. Vous êtes un homme intelligent. Je resterai à votre niveau en ne tombant pas dans votre piège. Oui, je possédais le même type de véhicule que celui qui a heurté Jonathan. Non, ce n'était pas moi. J'étais à Baie-Saint-Paul, chez Claude Duchesneau, ce samedi-là.

— Un souper bien commode. Qu'avez-vous mangé ?

— De l'agneau. Claude est un excellent cuisinier.

— Deux hommes seuls au bord d'une falaise un samedi soir… Vous n'aviez pas mieux à faire que souper en tête-à-tête avec un alcoolique ?

— Claude m'a raconté que vous lui aviez rendu visite à Baie-Saint-Paul. Vous avez sans doute observé que c'est un homme divertissant.

Surprenant eut l'envie de demander : « Il vous doit quelque chose ? » Il se retint. Ce n'était pas Parent, c'était lui qui était en train de perdre son calme.

— Votre attitude me déçoit, sergent. Que vous me soupçonniez, ça peut passer. Que vous me disiez que je n'ai rien à gagner dans ma relation avec Diane, j'apprécie moins. Je n'ai pas besoin d'argent. À mon âge, je cherche la complicité, le confort affectif, la stimulation intellectuelle, le bonheur enfin. C'est ce que m'offre Diane, même si elle s'est endettée jusqu'à l'os avec son bar de campagne. Le reste, je m'en fiche.

Surprenant observait Parent. Le médecin lui semblait convaincant.

— Je ne doute pas que vous aimez sincèrement Diane.

— Tant mieux ! Je souhaiterais que cette conversation demeure entre nous. Vous êtes allé voir Diane mardi, au camp de son père, pour lui dire que vous classiez l'affaire. Dans ce contexte, votre visite ce soir me surprend.

— Parfois, de nouveaux faits peuvent resurgir… J'ai hésité avant de vous appeler, précisément parce que je ne voulais pas alerter Diane. Puis, je me suis dit que vous étiez certainement un homme capable de garder... un secret.

— Je vois que nous pouvons nous entendre, conclut Parent sans se démonter. Encore un peu de porto?

— Je conduis.

— Évidemment.

Deux minutes plus tard, Surprenant descendait l'escalier et regagnait son Cherokee dans la nuit venteuse. Il gardait de son entretien des sentiments mitigés. Parent ne lui avait pas donné l'impression d'un homme traqué. Il aurait dû lui donner le bénéfice du doute, mais quelque chose l'en empêchait.

* * *

Le château fort dressait sa silhouette basse contre le ciel étoilé des Appalaches. Surprenant trouva Geneviève au sous-sol, en train de ranger les vêtements d'été dans le placard en cèdre.

— J'ai loué un film, annonça-t-il, comme s'il voulait se faire pardonner le report de leur séance de cinéma hebdomadaire.

— Tu es gentil. Et ton docteur?

En quelques phrases, Surprenant résuma son entretien avec Parent. Geneviève l'accueillit avec un scepticisme grognon.

— Il aurait fréquenté Diane pendant six mois sans qu'elle lui dise que son fils unique était mort deux ans plus tôt dans un délit de fuite?

— On a vu des choses plus bizarres. Ce qui est sûr, c'est que Parent est amoureux d'elle.

— Je ne crois pas à son histoire. Les narcissiques sont d'excellents manipulateurs.

Pendant que Geneviève, armée de son vaporisateur désinfectant, se juchait sur une chaise pour essuyer la tablette supérieure de la garde-robe, Surprenant constatait ce retournement de situation : c'était elle, maintenant, qui se méfiait de Parent.

— Il a un alibi.

— De deux choses l'une, conclut Geneviève en s'activant de plus belle. Ou tu es dans le champ, ou tu as raison, et il a trouvé le moyen de te mener en bateau. Fais-toi une idée ou lâche l'affaire, mon bel André.

Geneviève, les joues rouges, ses cheveux ramenés vers l'arrière par un bandeau bleu à pois blancs, posait sur Surprenant un regard tendre, mais lucide. Le *bel André* dont il était question était un personnage hybride, mi-enfant, mi-héros, que Geneviève avait trouvé, fort commodément, dans la bouche de sa belle-mère. Selon l'interprétation qu'avait la policière de la dynamique des Surprenant, Nicole Goyette, en deuil de son mari disparu, avait projeté sa libido sur son aîné, le *bel André*, portrait vivant de son *beau Maurice*, l'investissant d'un rôle œdipien qui avait bien embarrassé ses futures conjointes. Le cadet, lui, était resté le petit *Jacquot*, cet elfe attachant mais velléitaire, qui ne s'était jamais établi dans le monde, encore moins auprès d'une femme, et qui était devenu, le *bel André* étant parti combattre les moulins à vent, le gardien puis le bâton de vieillesse de sa maman.

Geneviève Savoie appréciait sa belle-mère, tout en désapprouvant la manière dont elle avait élevé ses fils. Après son divorce, elle s'était retrouvée elle aussi avec la garde quasi exclusive de deux garçons. Contrairement à ce qu'elle percevait de l'éducation de Belle-Maman, elle s'appliquait quotidiennement à maintenir avec eux ce qu'elle appelait la *juste distance*, un mélange d'amour et de responsabilisation, grâce auquel ses fils pourraient mûrir en toute quiétude et, éventuellement, se séparer d'elle. Dans le rôle du papa de rechange, elle était tombée, paradoxalement, sur ce bel André qui devait exorciser ses fantômes en assumant le rôle de celui qui lui avait manqué.

— *Un long dimanche de fiançailles*, annonça Surprenant en lui montrant le boîtier de son DVD.

Une heure plus tard, alors qu'il tentait, allongé contre Geneviève sur le divan du rez-de-chaussée, de s'immerger dans la fiction, Surprenant comprit que ce refuge lui était, ce soir-là, inaccessible. Les images du film de Jeunet, les personnages de Japrisot, le laissaient froid. Les seules fiançailles qui lui importaient étaient celles qui liaient Diane Gagnon et Pierre Parent, à tel point que Geneviève et lui se couchèrent chastement à vingt-trois heures.

— Laisse passer quelques jours, lui murmura-t-elle après avoir éteint. Tu verras mieux après.

— Aux Îles, un vieux m'a raconté qu'à Jersey, au dix-neuvième, un homme coupable d'un crime pouvait se réfugier dans l'église pour échapper à la justice. Selon la gravité de son méfait, il pouvait choisir d'être jugé ou de s'exiler. Entre l'église et le bateau, personne ne pouvait lui toucher. C'était le chemin de miséricorde.

— Tu penses à Parent?

— Possible.

— Seigneur! Attachez-le.

* * *

Le lundi suivant, en début d'après-midi, Surprenant rédigeait un rapport quand Lucie Preston lui annonça un appel du Dr Hurtubise, du CHUQ.

— Sergent Surprenant?

— Lui-même.

— Pierre Parent est introuvable.

— Quoi?

— Il ne s'est pas présenté à son cours ce matin à l'université. Trois enfants, accompagnés de leurs parents, l'attendent à la clinique externe. Il est de garde et il ne répond à aucun numéro, téléavertisseur, appartement ou chalet. Son ex-femme et ses collègues ne savent pas où il se trouve. Le fait est tellement inhabituel que j'ai cru bon de vous appeler.

— Vous avez bien fait.

— Selon un confrère, il était en congrès à Boston ce week-end. J'ai vérifié auprès de la compagnie d'aviation : il est rentré à Québec hier après-midi à quatorze heures.

— Je m'en occupe personnellement.

— À votre place, c'est ce que je ferais. Un cardiologue enseignant qui prend la clef des champs, ça perturbe passablement les services.

Surprenant raccrocha avec le sentiment que le DSP, encore une fois, lui cachait une partie de la vérité.

14

Pitou

Dès qu'elle ouvrit la porte de son auto, Diane perçut, comme les lointains tambours d'une tribu sur le pied de guerre, le martèlement d'un des groupes *hardcore* préférés de son barman. Elle traversa le stationnement désert et entra.

Elle fut accueillie par un hurlement de basse fréquence : le chanteur entamait un couplet. Steve était invisible. Elle se rendit derrière le comptoir et coupa le son.

— C'est toi ? demanda Steve en sortant des toilettes.

Sans mot dire, Diane observa son employé pendant qu'il ajustait son ceinturon. Ce grand escogriffe, encore dans la trentaine, était un serveur expérimenté malgré ses airs de mauvais garçon. Il était fiable, attirait une certaine clientèle, plus jeune, et maintenait l'ordre sans lever le ton. Si elle le congédiait, qui trouverait-elle pour le remplacer ? Peut-être quelqu'un de pire.

— Ce n'est certainement pas un client, avec ta musique.

— On est samedi après-midi, c'est tranquille.

— Justement. Fais jouer quelque chose de plus neutre.

Elle quitta le comptoir et se dirigea vers le bureau.

— Tu n'as pas l'air en forme, observa Steve.

— Je fais une espèce de gastro.

— Si je comprends bien, tu ne travailles pas ce soir ?

— Je ne suis pas en état. Appelle Linda si ça te pose un problème.

Diane Gagnon referma la porte du bureau et s'y adossa, le visage crispé. Elle posa la main sur son estomac. Peut-être aurait-elle dû se forcer à avaler quelque chose ? Elle s'assit, alluma l'ordinateur et cliqua sur l'icône de son logiciel de comptabilité.

* * *

Son cou lui faisait mal. Quelle était cette vibration ? Pierre Parent percevait une odeur de poussière et de caoutchouc, mais ne voyait rien. Il respirait dans un espace sombre, traversé de lueurs, une cagoule rendue humide par son haleine. Il était couché sur le côté. Ses mains étaient liées derrière son dos. Il voulut déplier ses jambes, retrouver une position plus confortable. Quelque chose lui serra la gorge. Ses chevilles étaient reliées à son cou par une corde.

Il était ficelé comme un voyou, dans un véhicule en mouvement. Combien de temps avait-il dormi ? Une image vague : Diane, le visage grave de l'autre côté de la table, ce souper du dimanche soir au chalet du lac Sept-Îles. L'excellent Amarone. Les paupiettes de veau. L'éclat de plaisir dans ses yeux, quand il lui avait dit qu'il se sentait soudain fatigué.

C'était probablement elle qui conduisait, à l'avant.

— Diane ! C'est quoi, ça ?

Sa voix était faible. Il se sentait engourdi. L'avait-elle drogué ? Si oui, avec quoi ?

Aucune réponse. Il prononça son nom, de plus en plus fort, à plusieurs reprises. La guitare, puis la voix grave de Leonard Cohen s'élevèrent des haut-parleurs tout proches.

It's true that all the men you knew were dealers
Who said they were through with dealing
Every time you gave them shelter

Un frisson de terreur lui glaça l'échine. Il reprenait ses esprits, bien qu'il sentît encore en lui un bien-être étrange, une sorte d'indifférence béate. Surprenant avait-il eu l'audace de confier ses soupçons à Diane? Elle était trop intelligente pour croire à une théorie aussi folle. Dans un moment d'effroi, il imagina le pire. S'apprêtait-il à mourir honteusement, lui qui avait tant fait pour les autres?

Il se força à respirer calmement. Il éprouva ses liens en bandant tous ses muscles. Rien à faire. Johnny Gagnon avait appris à sa fille à faire des nœuds. Elle avait tout de même laissé un jeu raisonnable à la corde qui enserrait son cou.

Elle ne voulait pas qu'il meure, du moins pas tout de suite.

Il devait être à l'arrière de son Pathfinder. Combien de temps avait-il dormi? Cohen avait fait place à un vieux groupe de rock américain. Fleetwood Mac. *You can go your own way.* Où avait-il entendu ce truc? Son fils, dans sa période sous-sol, alors qu'il découvrait les groupes des années 1970. Diane aimait ce genre de musique. Elle n'en écoutait pas en sa présence, non pas parce qu'elle en avait honte, mais parce qu'elle ne souhaitait pas lui imposer ses goûts. Lui, par contre, ne se gênait pas pour l'inonder de jazz et de classique.

En plus de lui faire payer son mensonge, Diane lui ferait ravaler sa condescendance.

Il tendait l'oreille : ils ne semblaient pas croiser beaucoup de voitures. Au bout de ce qu'il estima être une heure, le véhicule s'immobilisa après un court virage à droite. Le conducteur débarqua. Le pas ressemblait à celui de Diane. On ouvrit le hayon. Un air froid, bienfaisant, s'engouffra dans l'habitacle.

— Diane ?

— Tais-toi ou je t'assomme.

— Que…

Une douleur fulgurante, sous l'omoplate gauche, le laissa pantelant.

— Je vais faire le plein. Tu restes tranquille ou je me sauve et je te tue comme le chien que tu es.

Elle vérifia du doigt la solidité de ses liens et le recouvrit d'une couverture.

— Tu m'emmènes où ?

— Tu le sauras assez vite.

Le plein d'essence. Un seul bruit de pas, aucune conversation, il devait s'agir d'un libre-service. Elle reprit le volant. Il perçut bientôt de nouvelles vibrations. Ils roulaient sur une route de terre. Diane avait éteint le lecteur de CD.

Les idées plus claires, le médecin put s'interroger sur les motivations de sa ravisseuse. Que voulait Diane ? Elle tenterait d'abord de s'assurer de la véracité de ce que Surprenant, ou quelqu'un d'autre, lui avait appris. Il n'aurait pas le choix : il avouerait qu'il lui avait caché qu'il possédait un CR-V identique à celui qui avait frappé Jonathan. Si elle imaginait pire, alors il nierait, encore et encore.

Conquérir Diane Gagnon avait été difficile. L'aimerait-elle toujours si elle se convainquait qu'il l'avait séduite en lui cachant l'histoire du CR-V ?

La réponse était non. Diane avait quitté son mari parce qu'il l'avait trompée. Une fois. De toute évidence, elle le croyait coupable d'avoir tué son fils. Elle n'irait pas jusqu'à le tuer, elle chercherait à l'anéantir moralement. Comment, sinon en lui arrachant des aveux et en le livrant à la police ?

La douleur sous l'omoplate diminua. Il respira un peu plus aisément. Son brouillard médicamenteux se dissipait. Peut-être gardait-il une chance de renverser la situation ?

Après avoir parcouru près d'une centaine de kilomètres, Diane ralentit, tourna à droite et s'engagea dans un chemin cahoteux. Deux minutes plus tard, le véhicule s'immobilisait.

Le noir était total. Il perçut le bruit du vent dans les arbres. Diane ouvrit les portes arrière, déchargea plusieurs objets et s'éloigna. Il l'entendit monter trois marches, ouvrir une porte. Ils étaient arrivés à destination, à la campagne, s'il fallait en juger par le froid et les mauvaises routes qu'ils avaient empruntées.

Elle viendrait bientôt le libérer, ou tout au moins le transférer à l'intérieur. Au bout d'un long moment, il entendit des pas. Le hayon s'ouvrit.

— Diane ?

Silence. De nouveau, les mains vérifièrent ses liens. Il sentit une fraîcheur bienfaisante sous sa tête : elle glissait un oreiller sous son cou endolori.

— Je peux t'expliquer.

Aucune réaction.

— J'ai envie, plaida-t-il sur un ton qu'il voulut le plus neutre possible.

Elle le couvrit d'une deuxième couverture ou d'un duvet. Allait-elle lui faire passer la nuit dehors ?

— Fais dans tes culottes. Tu peux crier, t'agiter, faire tous les temps, personne ne t'entendra.

— Diane !

Elle referma le hayon. Au bout de dix secondes, une seconde porte claqua.

Il ne dormit pas. Ses mains étaient si ankylosées qu'il avait peine à bouger les doigts. Son épaule droite était l'épicentre d'une douleur envahissante. Ses jambes, repliées contre la paroi latérale du compartiment arrière, lancinaient, à tel point qu'il craignait de développer une phlébite. Dès qu'il tentait de les déplier, la corde se resserrait autour de son cou. À travers sa cagoule, il devinait le lever du soleil. Il avait froid malgré les couvertures. Sa vessie avait le diamètre de Jupiter, mais il ne donnerait pas à Diane le plaisir de le retrouver baignant dans son urine.

Le soleil montait, le réchauffant des pieds vers la tête. La maison devait être située à l'est par rapport au Pathfinder. Les heures s'écoulèrent. Il ne se passait rien. Diane dormait-elle? L'avait-elle simplement abandonné là? La peur, en lui, faisait place à la colère. Il appela, de plus en plus fort, jusqu'à hurler. Personne n'avait jamais osé le traiter de cette façon. Diane le lui paierait. Quand cette comédie serait terminée, il la tuerait.

Ses cris résonnèrent dans le tout-terrain, puis le vent et le bruissement de la forêt reprirent toute la place.

Il devait être plus de onze heures lorsqu'il entendit des bruits du côté de la maison. Des coups de marteau. Que fabriquait-elle? Les coups cessèrent. Une porte s'ouvrit, il entendit des pas, puis le sifflotement familier de Diane. Quand elle était de bonne humeur, elle sifflait, plutôt mal, des airs qu'elle entendait à la radio ou écoutait sur son iPod. Ce jour-là, il reconnut *Et j'ai couché dans mon char* de Richard Desjardins. Elle se croyait sans doute comique.

Il attendit que les pas s'approchent, mais ils s'éloignèrent. De longues minutes s'écoulèrent, sûrement plus d'une heure. Le soleil suivait sa course. Il entendit, au loin, deux coups de feu. Il espéra qu'il s'agisse de chasseurs, avant de comprendre que le tapage n'augurait rien de bon. Son lieu de détention était si reculé que Diane ne craignait pas d'attirer l'attention en tirant.

* * *

Des pas. L'envie d'uriner était atroce. Il allait peut-être pouvoir bouger.

— Comment va mon Pitou ?

Le ton badin masquait une sourde hostilité. Il ne répondit pas, reconnaissant en lui un sentiment nouveau : une peur panique de la colère de sa ravisseuse.

— Tu n'es pas mort, au moins, mon Pitou ?

Ce personnage de Pitou avait mis du temps à apparaître dans leur relation. Le printemps précédent, un samedi matin, alors qu'il lisait une revue, Diane s'était approchée de lui, par-derrière, l'avait enlacé, embrassé dans le cou : « Qu'est-ce que mon Pitou mangerait pour déjeuner ? » Il s'était raidi. Ce *Pitou*, faisant référence à sa personne, lui semblait un peu plébéien. En même temps, Pitou, même s'il évoquait l'image d'un chien, faisait l'objet d'une tendresse et d'une confiance authentiques, nouvelles. Le message était celui-ci : nous sommes enchaînés l'un à l'autre, comme maître et compagnon, pour le meilleur et pour le pire.

En ce lundi d'octobre, les rôles n'étaient plus interchangeables : il y avait une maîtresse et un chien au bout d'une laisse.

— Pitou a mal partout. Veux-tu me dire…

— À l'intérieur, tantôt. Je te sors d'ici, mais il faut que tu te tiennes tranquille. Est-ce que tu sens ça ?

Il perçut quelque chose de froid sur son cou.

149

— C'est ma 22. Une balle bien placée et le travail est fait. Tu essaies de me frapper, de te sauver, et je te tire comme un lièvre.

Elle lui délia les mains et lui ordonna de les placer devant son thorax.

— Tu n'as pas besoin de m'attacher. Où veux-tu que j'aille ?

— Mets tes mains devant toi.

Dix secondes plus tard, il avait des menottes aux poignets. Diane détacha ses pieds et le nœud qui lui enserrait le cou, mais laissa la cagoule en place.

— Maintenant, tu peux te lever.

Après quelques douloureuses contorsions, il parvint à s'asseoir au bord du coffre. Il faisait froid. Il était étourdi, mais la circulation se rétablissait dans ses jambes.

— On y va, ordonna Diane.

— Où ?

— Mets-toi debout et marche vers ta gauche.

— Avec la cagoule ?

— Marche !

Elle le guida ainsi, lentement, jusqu'à un escalier de trois marches. Ils passèrent une porte qui claqua derrière eux. Le plancher craquait, la pièce sentait le bois et l'humidité, bien qu'il perçoive, à sa droite, la chaleur d'un poêle.

— À ta gauche encore. Arrête-toi maintenant.

Elle saisit ses poignets, parut attacher les menottes à quelque chose, puis s'éloigna. Il y eut un grincement de poulie et ses mains furent tirées vers le haut.

— Qu'est-ce que tu fais ?

— Tu n'es pas heureux d'être sorti de ton coffre ?

— Tu ne peux pas me laisser comme ça !

— Ben oui, mon Pitou !

Ses mains étaient retenues au-dessus de sa tête, ses épaules à demi soulevées dans une position inconfortable.

Sous ses pieds, il sentait, légèrement gondolé, ce qui semblait être du prélart.

— Écoute Diane, j'ai faim, j'ai envie.

— Ça me fait plaisir.

— Sais-tu dans quoi tu t'es embarquée ? Enlèvement, séquestration, mauvais traitements ! Je ne sais pas où tu veux en venir, Diane, mais la blague est allée trop loin ! Qu'est-ce que tu me veux ?

— Espèce de minable !

Une porte claqua. Elle avait quitté la pièce.

15

Passage à l'acte

Seul dans son bureau, la main toujours posée sur le téléphone, le sergent-enquêteur André Surprenant avait la sensation d'avoir avalé une gorgée de décapant.

Parent avait disparu. Qu'en était-il de Diane? Il composa son numéro de portable : aucune réponse.

Chez Raymond, il tomba sur un serveur nommé Steve qui lui dit qu'il n'avait pas vu sa patronne depuis l'avant-veille, soit le samedi après-midi, quand elle était venue faire ses comptes.

— Elle m'a dit qu'elle faisait une gastro, ajouta le serveur.

— Vous ne semblez pas convaincu.

— Diane? À part son cancer, elle a une santé de fer. Vous n'êtes pas le seul à la chercher. Son père a appelé il y a cinq minutes.

Surprenant raccrocha, le cœur serré. Sans avertir Santerre, encore moins Bachand, il prit le chemin de Québec. Le trajet lui permit d'explorer des hypothèses optimistes. Parent et Diane avaient décidé de profiter de leur lundi en amoureux? Un accident? Un imprévu en forêt? Une panne de portable? Toutes ces éventualités paraissaient improbables.

Avenue Moncton, la BMW était au garage. Aucune trace du Pathfinder. Les portes de l'appartement étaient verrouillées, les fenêtres, fermées. Pas de journal du dimanche dans la boîte aux lettres. Surprenant descendit au rez-de-chaussée et sonna. Un homme en jeans et en pantoufles, le nez orné de lunettes à monture d'écaille, apparut, affable, comme s'il était ravi d'être dérangé. Il n'avait pas vu Parent depuis le jeudi, mais il se souvenait très bien de l'avoir entendu marcher le dimanche, en après-midi.

— Ces vieilles maisons ont du cachet, mais les planchers craquent, expliqua-t-il.

— Il a couché ici hier soir ?

— Pas à ma connaissance. Souvent, il passe la fin de semaine à son chalet et ne rentre ici que le lundi soir.

L'homme possédait une clef de l'étage, que Surprenant réquisitionna. Il trouva l'appartement de Parent à peu près dans l'état où il l'avait vu le jeudi précédent. Le bureau de la pièce d'angle était rangé, les revues et les manuels de médecine sagement empilés, leurs pages séparées par des *post-it* jaunes. L'ordinateur n'était pas là. Le policier parcourut la liste des demandeurs sur le téléphone. Diane Gagnon avait appelé la veille à quinze heures. Surprenant nota les dix derniers numéros dans son carnet, avant de se mettre à la recherche de l'ordinateur. Un attaché-case de cuir, posé près du bureau, n'était pas fermé à clef. Il contenait des articles médicaux, des dépliants, des billets d'avion, des factures s'étalant du vendredi au dimanche, attestant son voyage récent à Boston.

Surprenant n'avait pas de mandat de perquisition, mais une possible disparition constituait un motif suffisant pour transgresser les règles. Il ne trouva pas l'ordinateur qu'il cherchait, mais un portable PC accusant quelques années, perché sur le comptoir de la cuisine. L'appareil n'était pas branché sur Internet et était chargé d'un programme comptable et de recettes de cuisine.

La chambre, située à l'arrière, déclinait luxueusement des tons d'or, de beige et de brun. Une valise entrouverte, portant une étiquette BOS-YQB, était posée sur le lit *king*. Lances, masques, amulettes : comme dans le salon, le continent noir était à l'honneur. Un téléviseur à écran plat réfléchissait la lumière de lampes discrètes. S'il fallait en croire son appartement, Parent, sans aucun signe de précipitation, était parti passer son dimanche à la campagne, en emportant son ordinateur si l'envie lui venait de travailler ou de prendre ses courriels. Surprenant joignit Hélène Damphousse.

— Votre ex-mari a disparu.

— Vous ne m'apprenez rien. Hurtubise m'a appelée tantôt.

— Vous avez une idée de l'endroit où il peut se trouver ?

— C'est à Diane qu'il faudrait le demander. Je n'ai pas vu Pierre depuis six mois.

— Il a l'habitude de ce genre d'escapade ?

— Jamais. Même en voyage, il s'arrange pour qu'on puisse le joindre. Être utile, pour lui, c'est une maladie qui ne se guérira qu'avec la mort.

Derrière l'ironie, Surprenant perçut chez son interlocutrice une véritable angoisse.

— Vous paraissez inquiète.

— C'est le père de mes enfants, quand même.

— Vous pouvez me fournir leurs numéros de téléphone et leurs adresses de courriel ?

Andrée Parent, omnipraticienne, vivait en Virginie avec son mari américain. Son frère achevait une maîtrise en économie à Londres.

— Vous devez vous ennuyer, ne put s'empêcher d'observer Surprenant.

— Pierre s'ennuie, pas moi. Aujourd'hui, c'est un peu comme au Moyen Âge, le savoir court les chemins. Donnez-moi des nouvelles, voulez-vous ?

Il était quinze heures. Surprenant quitta la haute-ville par la côte de l'Aqueduc et emprunta le boulevard Charest en direction ouest. Vingt-cinq minutes plus tard, il était chez Diane, à Sainte-Catherine.

La maison était modeste, un ancien chalet recouvert de déclin de bois et ombragé par des arbres matures. La façade était agrémentée d'une véranda. La Golf n'était pas dans la cour. Les portes et les fenêtres étaient ver-rouillées. Aucune fumée ne s'échappait de la chemi-née. Surprenant jeta un œil par les fenêtres de la salle de séjour et de la chambre : il régnait un léger désordre, comme si la propriétaire de bar ne s'était absentée que pour quelques heures.

Le policier visita la cour arrière. La balançoire et le carré de sable qui, l'été précédent, évoquaient le sou-venir de Jonathan, avaient été remplacés par des îlots de vivaces. Il retourna à l'avant, regarda la rivière qui coulait vers Pont-Rouge, assombrie dans la lumière déclinante.

Quinze heures quarante-cinq. Il ne pouvait plus retar-der le moment d'appeler Bachand. Il composa le numéro de son supérieur, le cœur serré. Il connaissait les ques-tions qui surgiraient, dont la principale était celle-ci : s'agissait-il d'un enlèvement avec séquestration ?

Si oui, qui était prisonnier de qui ?

Bachand accueillit la nouvelle de la disparition du couple Gagnon-Parent avec un stoïcisme qui inquiéta Surprenant. Au lieu de ces questions pratiques, ration-nelles, posées sur un ton froid, il aurait préféré essuyer quelques sacres bien sentis, un éclat de colère ou même des menaces.

— Reste où tu es, ordonna Bachand. L'affaire pourrait relever de la police de Québec, mais je préfère me passer d'eux pour tout de suite. J'arrive avec Santerre.

Bachand allait sûrement profiter du trajet pour confesser l'Orignal. Surprenant éteignit son portable en se demandant s'il avait quelque chose à se reprocher. Il avait interrogé Parent, mais celui-ci n'avait pas intérêt à mettre le feu aux poudres. Il avait rencontré Diane encore une fois, de même que son père, pour leur dire qu'il abandonnait l'affaire.

Sauf qu'il ne l'avait pas abandonnée…

Deux transatlantiques aux couleurs passées, reliefs estivaux, étaient ouverts sur la véranda. Il s'assit et composa le numéro de Francine Duff.

— Sergent Surprenant! s'amusa la conseillère financière. Je me doutais bien que j'aurais bientôt de vos nouvelles.

En quelques phrases, Surprenant l'informa de l'éclipse de son amie et de Parent. Pour toute réponse, il perçut un long soupir.

— Vous ne lui avez pas parlé de notre conversation de l'autre jour? reprit-il.

— Il fut un temps où Diane et moi, on se disait tout. Il faut croire que cette époque est terminée.

— Ce qui signifie?

— Je ne lui ai pas dit que vous soupçonniez son fiancé d'avoir frappé son fils. Elle ne m'a pas confié qu'elle avait l'intention de l'enlever.

— L'enlever?

— Me prenez-vous pour une cruche? Si vos soupçons sont vrais, Pierre n'a rien à gagner à attirer l'attention en kidnappant Diane.

— Vous connaissez probablement ma prochaine question.

— Ils peuvent être n'importe où entre Toronto, Kuujjuaq et Miami. Si j'étais vous, j'irais vers le nord. Diane a un réflexe : quand elle ne va pas bien, elle prend le bois.

Surprenant raccrocha. *Prendre le bois.* Dans son dos, il sentit, massive, mystérieuse, la présence de la forêt laurentienne. Diane Gagnon était-elle capable de décrocher, de faire ce que certains de ses jeunes agents, imprégnés de leur cours de psychologie, appelaient un passage à l'acte ?

«Peut-être», murmura-t-il, perdu dans ses pensées.

Devant lui, le village de Sainte-Catherine, avec ses toits pentus et ses rues tranquilles, était indifférent au drame. La Jacques-Cartier, après avoir traversé un chapelet d'îles, se divisait entre les piliers du pont, contournait une colonne solitaire, surmontée d'une croix. L'église de briques jaunes se dressait contre un ciel sans nuages. La rivière coulait du nord-est au sud-ouest, la vie, du passé au futur, laissant pour seule réalité ce murmure, ce bouillonnement indistinct, aussi ténu que le vent qui caressait les arbres. Si ce paysage paisible, adossé à la forêt et aux lacs, lui donnait une impression de violence contenue, c'était qu'il l'associait à Diane.

Un Ford Ranger rouge apparut à sa gauche et s'immobilisa sur le gravier. Surprenant observa Johnny Gagnon tandis qu'il marchait vers lui d'un pas décidé. L'ex-bûcheron semblait tirer une secrète satisfaction de sa vigueur malgré les circonstances. Pourtant, lorsqu'il se campa à deux mètres de Surprenant, le visage éclairé par le couchant, le policier nota que ses yeux, du même gris que ceux de sa fille, étaient inquiets.

— Tu peux me dire ce qui se passe ?

— Je cherche Parent. On dirait qu'il est parti avec Diane.

— Ils étaient au lac Sept-Îles pas plus tard qu'hier après-midi.

— Vous les avez vus ?

— J'ai appelé les voisins.

— Ils n'ont rien remarqué de spécial ?

— La Volks de Diane est dans la cour. Personne ne répond à la porte.

Surprenant laissa planer un silence. Johnny Gagnon, les mains sur les hanches, détourna les yeux et observa la rivière en amont, comme si elle avait pu le renseigner.

— Les voisins n'ont rien remarqué au lac Sept-Îles, reprit Gagnon. Les gens ont quand même vu qu'il y avait de l'activité au village dernièrement.

— Vous voulez dire ?

— Ton ami Santerre est pas mal souvent chez la petite Française du chemin Duchesnay. Tu es revenu au bar il y a deux semaines. Pas plus tard que mardi passé, le jour de la messe anniversaire, tu étais chez nous.

— Sainte-Catherine fait partie de mon territoire.

— Quelqu'un a parlé.

— De quoi ?

— Si je le savais, je te le dirais. Tantôt, je t'ai demandé de me dire ce qui se passe.

Le ton, cette fois, était moins plaisant.

— Je ne peux rien conclure pour l'instant. On est dans le noir.

— J'espère, pour toi, que tu as une bonne *flashlight*.

Bachand et Santerre débarquèrent sur les entrefaites. Le lieutenant et Gagnon échangèrent un signe de tête. Les deux semblaient, plus que se connaître, s'estimer, ce qui rendait la position de Surprenant encore moins confortable.

— Monsieur, ici, se demande où se trouve ma fille, dit Gagnon en guise de salutation.

— On va tirer ça au clair, John, assura Bachand. Je peux te parler dans le particulier ?

159

Les deux hommes gagnèrent l'arrière de la maison. Santerre, de son côté, avait l'air d'un gars qui venait de manger un kilo de hareng fumé au milieu du Sahara.

— C'est quoi, le topo ? demanda-t-il.

— Nos tourtereaux ont disparu. Je suis passé chez Parent à Québec. J'ai rien vu d'anormal. À mon avis, Diane a eu vent de quelque chose.

Après cinq minutes de conciliabule, Bachand revint avec son ami Johnny. Sans dire un mot aux deux sergents, Gagnon remonta dans son pick-up et partit. Bachand se dirigea vers la maison, une clef à la main.

Surprenant et Santerre le suivirent.

— Qu'est-ce qu'il vous a dit ? risqua Surprenant.

— Il est inquiet. Diane le prévient toujours quand elle s'absente. Cette fois, il l'a appris par le serveur du bar. Luc, vérifie les comptes de Diane. Ensuite, passe au bar et vois si tu peux tirer quelque chose du personnel ou des clients.

Santerre partit à contrecœur. Bachand ouvrit la porte du cottage de Diane et entra, suivi de Surprenant.

* * *

Debout, bras en l'air, Pierre Parent était obnubilé par la sensation que sa vessie allait éclater. N'en pouvant plus, il laissa s'écouler son urine. Le liquide chaud mouilla son caleçon, son pantalon, dévala, malgré ses jambes écartées, jusque dans ses souliers. La douleur dans son bas-ventre disparut. Les menottes, à la longue, blessaient ses poignets. Il avait faim, mais surtout soif. Par la lumière qui filtrait à travers le tissu, il estima que l'après-midi tirait à sa fin. Il n'avait rien ingéré depuis plus de vingt heures. Diane semblait cuisiner dans la pièce à côté. Une délicieuse odeur de viande et d'oignons grillés monta à ses narines.

La porte s'ouvrit. Il entendit le bruit d'un interrupteur. Elle lui arracha sa cagoule. Après un éblouissement, il put voir où il se trouvait.

Devant lui, Diane prit place dans un fauteuil de cuir qui semblait avoir été lacéré par un animal domestique. Elle croisa les jambes et saisit un verre de vin rouge sur le plancher. La pièce était petite, trois mètres sur quatre. Les murs étaient lambrissés de planches de pin rugueuses. Il était suspendu à une corde à linge qui passait par deux poulies, l'une fixée au plafond, l'autre à un angle de la pièce. L'extrémité était nouée à un anneau de fer vissé à la gauche du fauteuil de Diane, le seul meuble de la pièce.

— Astucieux, n'est-ce pas ?

Il ne répondit pas, s'appliquant à trouver des repères. Une fenêtre à guillotine s'ouvrait sur des conifères et un lac. Le soleil se couchait.

— Ne cherche pas dans tes souvenirs. Tu ne connais pas cet endroit.

Il baissa les yeux sur Diane. Les yeux gris, flamboyants de mépris, étaient effrayants. Sa tignasse châtaine mâtinée de gris, rejetée vers l'arrière, accentuait la dureté des arcades, des pommettes, des lèvres fermées, toutes sillonnées de rides dans la lumière crue et en l'absence de maquillage. Il ne se trouvait pas devant une femme, encore moins devant sa fiancée, mais devant un masque vengeur.

— Qu'est-ce que tu veux ? demanda-t-il d'une voix rauque.

— La vérité.

— La vérité sur quoi ?

— Pas d'humour, veux-tu ? La vérité sur la mort de Jonathan.

Il secoua la tête, moins pour afficher son incrédulité que pour réfléchir.

— Je n'ai rien à faire avec la mort de Jonathan.

L'expression de Diane devint plus dure, si cela était possible.

— Je ne sais pas ce que tu imagines, reprit-il.

— Avant d'acheter le Pathfinder, tu te promenais avec quoi ?

Il soupira.

— C'est le CR-V qui te tracasse ?

— On était ensemble depuis presque un an. On allait se marier. Tu n'as pas trouvé le moyen de me dire que tu possédais le même type de véhicule que celui qui a frappé Jonathan. Tu ne trouves pas ça bizarre ?

— Tu ne penses quand même pas que j'ai tué Jonathan !

— Tu ferais quoi à ma place ?

— Surprenant t'a parlé ?

Il entrevit un éclair de surprise dans les yeux de Diane.

— Est-ce qu'il t'a contacté ? demanda-t-elle.

De nouveau, Parent mit du temps à répondre. La réaction de Diane laissait entendre que Surprenant ne lui avait pas communiqué les doutes qu'il entretenait à son sujet.

— Il est venu chez moi jeudi soir. Tu lui as dit l'autre jour que tu te mariais avec un cardiologue. Il s'est rappelé que je figurais parmi les propriétaires de CR-V que la police a contrôlés dans les jours qui ont suivi l'accident.

— Tiens ! Première nouvelle ! La police a vérifié ton CR-V quand ?

— Le lundi ou le mardi, si je me souviens bien. Une policière est passée chez moi et a inspecté le Honda. Il n'avait rien, évidemment.

Diane le regardait d'un air soupçonneux.

— Donc, quand tu as commencé à fréquenter mon bar, tu savais qui j'étais ?

— Non.

— Menteur ! On parlait de l'accident dans les journaux, à la télévision, la police a inspecté ton véhicule, et tu ne savais pas que j'étais la mère de Jonathan ?

— Je ne lis pas les journaux, je ne regarde pas les nouvelles. Je t'ai rencontrée *un an* après l'accident, Diane. Je ne pensais plus à cette histoire.

— Quand je t'ai raconté les détails de l'enquête, tu aurais pu allumer, quand même !

— Tu m'as parlé de ça six mois plus tard. J'ai préféré me taire. Tu m'aurais sacré là. Ou pire.

Elle prit une gorgée de vin, regarda les arbres par la fenêtre. Quand elle reporta son attention sur lui, ses yeux exprimèrent, brièvement, le chagrin et le doute. En elle, quelque part, subsistait l'espoir que toute cette histoire n'était qu'un hasard ou une invention de son esprit.

Cet instant de faiblesse de la part de sa geôlière lui redonna de l'énergie.

— C'est une coïncidence, plaida-t-il. Je t'aime, Diane. Je veux vivre avec toi.

Elle se pencha vers l'avant, les yeux fixés sur le plancher, comme un boxeur qui refait ses forces avant un round.

— Je ne crois pas aux coïncidences. Je ne sais pas pourquoi tu t'es amusé à me séduire. J'ai mis du temps à répondre à tes avances. Aujourd'hui, je sais pourquoi. Mon cœur savait que quelque chose était faux.

— Il n'y a rien de faux dans notre relation.

— Foutaises, Pierre Parent !

Elle se leva brusquement et sortit, abandonnant son verre sur le plancher. Parent entrevit un petit séjour meublé d'un divan, d'un congélateur, d'une table en pin et d'un poêle à combustion lente. Elle revint au bout de trente secondes, une caméra vidéo à la main. Son visage était redevenu impénétrable. Elle s'assit et pointa l'objectif sur lui, comme pour s'exercer.

— Qu'est-ce que tu fais ?

— Je veux des aveux filmés. Ensuite, j'aviserai. Je suis patiente. Je suis prête à attendre des heures, des jours, des semaines. Personne ne nous trouvera ici. Tu parles tout de suite ou tu t'entêtes ?

— Tu es folle.

— Tu ne t'en étais pas aperçu ? Je t'avertis : je suis prête à te laisser crever comme un chien.

Après son mouvement d'espoir, il se sentit découragé.

— Je n'ai rien à avouer, Diane.

— Dans ce cas...

Elle déposa la caméra, défit le nœud qui retenait la corde à linge et la raccourcit d'une vingtaine de centimètres. Les menottes le tirèrent vers le haut. Ses deux pieds étaient toujours à plat sur le plancher, mais il ne jouissait plus d'aucun jeu. Il était pendu par les poignets, comme un condamné attendant la torture ou l'exécution.

Diane prit son verre de vin, sa caméra, éteignit le plafonnier et, sans un regard, sans un mot, sortit en refermant la porte derrière elle. Cinq minutes plus tard, il sentit l'odeur de viande grillée, entendit des bruits d'ustensile.

Elle mangeait.

16

La chambre nue

Surprenant avait visité la maison de Diane à trois reprises deux ans auparavant. Par la suite, il l'avait rencontrée sous le chaperonnage silencieux de Raymond le castor. Comme il l'avait entrevu par les fenêtres, les lieux ne donnaient pas l'impression qu'elle s'était absentée pour une longue période. Le lave-vaisselle contenait des assiettes sales, les poubelles n'avaient pas été vidées, le journal du dimanche traînait, ouvert, sur la table, la salle de séjour était légèrement en désordre. Dans la chambre, située à l'arrière, le lit était fait, mais une fenêtre était entrouverte. La pièce, dépouillée, meublée d'un lit et d'une armoire en pin massif, était surtout occupée par une large bibliothèque, surchargée de livres. Surprenant s'approcha. Gary, Durrell, Camus, Miller, beaucoup de contemporains, quelques Sud-Américains, de rares policiers, mais tout Anne Hébert. *Sainte-Catherine-de-la-Jacques-Cartier, évidemment*, songea Surprenant. Une moitié d'étagère, consacrée à divers ouvrages de santé et de psychologie, témoignait des récents efforts de guérison.

Tout en haut, près d'une jarre de terre cuite ornée de fleurs séchées, il aperçut une urne de métal : Diane dormait encore avec son fils décédé.

— Pas grand-chose ici, marmonna Bachand, qui fouillait les tiroirs de la table de chevet.

— La semaine passée, j'ai vu Diane avec une 22. Faudrait savoir si elle a apporté l'arme.

Un corridor flanqué de trois portes reliait la chambre à la cuisine et à la salle de séjour. La première s'ouvrait sur une salle de lavage. La deuxième, sur la salle de bains, qui exhibait le même léger désordre que le reste de la maison.

La troisième porte était ornée d'une affiche noir et rouge, telle qu'il s'en vendait dans les quincailleries, sur laquelle une silhouette unidimensionnelle, d'allure hiéroglyphique, recevait un seau d'eau sur la tête en poussant la porte d'un tombeau. Surprenant ouvrit. La chambre de Jonathan, qu'il avait fouillée vibrante de son monde d'enfant, était vide. Pas un objet, pas une affiche, pas un souvenir. La garde-robe avait été dépouillée elle aussi. Seuls les murs, ornés de meurtrissures et des traces de ruban gommé, laissaient deviner qu'un humain avait habité la pièce. Surprenant passa un doigt sur le rebord de la fenêtre : pas de poussière. La pièce n'était pas seulement vide, elle était entretenue dans cet état.

— Sainte bénite ! fit Bachand. Le moins qu'on puisse dire, c'est qu'elle n'a pas encore fait son deuil.

— Ça doit faire partie d'un processus.

Les voix des deux hommes résonnaient contre les murs.

— Qu'est-ce que tu en penses, André ?

— Rien ici n'indique que Diane ait fait des préparatifs pour s'absenter longtemps. Il faut commencer par éliminer les choses les plus simples.

— Comme ?

— Un accident. Ils sont peut-être dans un ravin quelque part.

Les deux hommes se faisaient face. Les yeux de Bachand, d'un brun si sombre qu'il était difficile d'en discerner les pupilles, exprimaient la colère.

— Ta bretelle d'accès vient de t'exploser dans la face.

— Attendons avant de tirer des conclusions.

Bachand secoua la tête d'un air dégoûté.

— Écoute ! Tu trouves ce maudit docteur ou je te renvoie aux Îles-de-la-Madeleine ! Ou dans un trou dont tu ne sais même pas le nom !

Surprenant, qui n'avait jamais encore essuyé le courroux de Bachand, se raidit. Contrairement aux deux lieutenants qu'il avait manipulés aux Îles, son supérieur était un homme redoutable. Il recula d'un pas et fixa Bachand dans les yeux, comme un fauve.

— Message reçu, lieutenant. Maintenant, si vous voulez bien, il faudrait organiser les recherches.

Ils sortirent de la maison. La lune, presque pleine, se levait sur la Jacques-Cartier.

— Lundi dix-huit heures, dit Bachand en consultant sa montre. Nos oiseaux ont été vus pour la dernière fois hier, en après-midi.

— Ils peuvent être n'importe où.

— Je fais un signalement dès ce soir. Demain matin, je demanderai l'hélicoptère. Sécurise la maison de Diane et le chalet du docteur. De mon côté, j'avertis les municipaux. Ils vont peut-être vouloir prendre l'affaire à leur compte.

Le ton de Bachand, s'il demeurait rude, était moins agressif. Ils avaient une double disparition sur les bras et devaient se concentrer sur l'enquête. Les comptes se régleraient plus tard.

Le lieutenant remit la clef de la maison à Surprenant, comme s'il s'agissait d'un témoin, et partit sur les chapeaux de roue.

Surprenant appela Santerre.

— Où en es-tu ?

— Je suis au bar. Samedi soir, Diane s'est fait remplacer pour une raison inconnue. D'après le serveur, elle n'avait pas l'air dans son assiette.

— Les comptes ?

— J'ai joint le directeur adjoint de sa caisse. Il va retourner à la succursale pour voir s'il y a eu des transactions récentes.

— Je te rejoins.

Surprenant partit à pied en direction du bar, à moins de cinq cents mètres de là, de l'autre côté du pont. Il contacta la patrouille. La voix juvénile d'Audrey Gaudette lui répondit. Elle était à Stoneham en compagnie de Labonté. Avec une certaine nostalgie, Surprenant perçut l'excitation que les mots *disparitions, sécuriser, signalement,* instillaient chez la recrue. En attendant de nouveaux ordres pour la nuit, il faudrait faire appel à une deuxième équipe, heures supplémentaires ou non.

— On est en route, sergent ! annonça Gaudette sur un ton faussement calme.

Mon doux Seigneur ! pensa Surprenant en appuyant sur la touche correspondant au numéro de Geneviève sur son portable.

— Ça va ? dit-elle d'une voix enjouée.

— Où es-tu ?

— Sur l'autoroute, direction maison.

L'espace d'une seconde, Surprenant mesura la distance qui les séparait. Elle s'apprêtait à rejoindre la quiétude du château fort, le bavardage de la gardienne, les garçons qui se chamaillaient, le verre de rouge en préparant le souper dans la cuisine...

— Je risque de rentrer tard.

En quelques phrases, il la mit au courant des développements. À mesure qu'il parlait, il sentait croître le malaise de sa conjointe. Malgré sa récente bouffée de jalousie, elle demeurait, dans le doute ou l'épreuve, solidaire de Diane.

Bien qu'elle ne se considérât pas comme féministe, Geneviève avait déjà affirmé à Surprenant que le crime était essentiellement le fait des hommes. Elle-même avait voulu devenir policière à la suite du drame de Polytechnique. L'image de Marc Lépine assassinant quatorze jeunes femmes l'avait marquée de façon indélébile. Ses années de patrouille l'avaient ensuite exposée au continuum du mal-être masculin, toxicomanies, voies de fait, conduite en état d'ébriété, violences domestiques, vols, menaces, trafics, extorsions, fraudes, viols, meurtres. Les femmes commettaient bien sûr des crimes, mais elle gardait envers elles un préjugé favorable : les délinquantes, les criminelles réagissaient à des blessures profondes ou à des situations intolérables. Chez l'homme, le mal s'exprimait de façon plus gratuite, comme s'il s'agissait d'un prolongement des pulsions sexuelles et agressives. Si elle gardait assez d'autocritique pour tempérer ses opinions, elle n'avait pas craint de s'en ouvrir à Surprenant, qui y avait vu une marque de confiance.

Aussi ce dernier ne fut-il pas surpris d'entendre, alors qu'il s'engageait sur le pont de Sainte-Catherine, cette prière :

— Retrouve-la en un seul morceau, veux-tu ? Je n'ai aucune confiance en ce docteur. Je te garderai de la sole au frigo.

Surprenant murmura le « ciao ! » que Geneviève et lui employaient pour alléger certains moments de tension.

Il rompit la communication et remonta le col de sa veste. Le soir était frais. Sous ses yeux, la rivière enfilait sa robe de nuit, ce miroir noir, mouvant, sur lequel les lumières du village faisaient onduler des travées scintillantes. Il se revit à quatorze ans, le vendredi soir, traversant le pont Gouin pour aller traîner au centre-ville de Saint-Jean. L'automne, le Richelieu, bas, exhalait des odeurs d'algues et de poisson crevé. Sur l'autre rive, il montait la rue Saint-Jacques, examinant les vitrines du Woolworth, les affiches du cinéma Cartier, se frayant un chemin parmi les fêtards pour finir sa course à l'hôtel National. À l'angle de la rue Jacques-Cartier et de la place du Marché, la bâtisse de deux étages abritait quelques chambres, peu fréquentées, mais surtout une taverne et un lounge converti en salle de spectacle. Des bribes de rock ou de blues s'échappaient des larges portes et des fenêtres tendues de rideaux sombres. Il n'avait pas l'âge requis pour entrer, mais il pouvait écouter l'orchestre, dehors, adossé contre la brique rouge, en fumant les Craven A qu'il avait volées à sa mère.

Surprenant s'arrêta soudain et s'appuya contre la rambarde du pont. Un autre souvenir, plus ancien, lui revenait à l'esprit.

Dans la cabine du camion O'Keefe, il est assis entre son père et un gros homme qui fume. Quel âge a-t-il? Six ans? Sept ans? L'homme s'appelle Baril. «Le gros Baril», comme chacun dit. Un jour d'été. Le gros Baril sent la sueur. Son père, qui fume aussi, l'a emmené faire sa tournée. Le camion est dans la cour du National. Par une fenêtre de la cave, le gros Baril fait glisser les caisses de bière sur un panneau à roulettes. Son père, à l'écart, discute avec un homme louche, qui a un accent étranger. Son père a l'air préoccupé. Lui, assis dans la cabine, ses pieds ne touchant pas le plancher, a peur, parce qu'il perçoit un malaise sur le visage de son père.

Le souvenir, flou, s'évanouit. Surprenant retrouva ses balises, la poitrine oppressée. Pourquoi ce souvenir lui revenait-il près de quarante ans plus tard? C'était ce pont, cette rivière Jacques-Cartier, qui avait ressuscité le Richelieu et cette rue Jacques-Cartier, justement, qui menait à cet hôtel devant lequel il allait fumer des cigarettes, seul, à quatorze ans, en écoutant un orchestre s'escrimer sur *Jumpin' Jack Flash* ou *Revolution*. À son retour des Îles-de-la-Madeleine, ce n'était pas fortuitement qu'il s'était établi à Québec. Entre le fleuve, les rivières et les lacs, il y était venu chercher quelque chose, peut-être le chemin vers cette enfance trouée, perdue, dont il lui manquait des pans.

17

La lettre d'enfant

En ce lundi soir, le stationnement du bar accueillait une quinzaine de véhicules. Les lettres de l'enseigne *Chez Raymond*, violettes sur fond vert, se réfléchissaient sur les capots des petites japonaises et des pick-up alignés sur l'asphalte. Des échos d'une chanson des Cowboys Fringants s'échappaient de la porte de verre, à travers laquelle Surprenant entrevoyait les buveurs.

Son arrivée tarit les conversations. Les habitués étaient là, Jules sans son journal, Pierre et Tom sans damier, au milieu d'une vingtaine de clients, mâles ou femelles, unis par une angoisse et une curiosité communes : l'âme de leur refuge manquait à l'appel. Derrière le comptoir, un musculeux serveur, les lobes d'oreille distendus par des anneaux métalliques, l'observait sans aménité. Surprenant s'approcha en levant les yeux vers Raymond. Dans la pièce, le castor empaillé était probablement le seul qui ne le tenait pas responsable de la catastrophe.

— Vous êtes Steve ? s'informa Surprenant.

— Vous êtes pas mal vite.

— Mon collègue n'est pas ici ?

— Santerre ? Il est parti il y a deux minutes.

— Vous n'avez pas besoin d'avoir l'air bête. Ça ne nous avancera à rien.

Depuis son retour des Îles, Surprenant avait appris à approcher les fortes têtes de façon plus incisive. À Québec, le respect se méritait.

— Qu'est-ce que je vous sers ? grogna Steve.

— Je dirais que c'est un cas de café irlandais.

— Au moins, vous avez l'air de vouloir veiller.

— Je peux compter sur vous, si je comprends bien ?

Steve, en serveur expérimenté, jaugea Surprenant d'un regard qui était dépourvu d'affabilité, mais non d'intelligence.

— Vous vous êtes démené pour Diane. Je ne vous mettrai pas de bâtons dans les roues.

Surprenant questionna le barman sur les dernières allées et venues de sa patronne. Le mardi précédent, le bar avait été fermé pour l'anniversaire. Le mercredi, Diane, d'excellente humeur, lui avait montré sa nouvelle Golf. Le vendredi, ils avaient travaillé ensemble et elle lui avait paru en forme. Le samedi, en début d'après-midi, elle s'était présentée au bar pour faire sa comptabilité. Elle était pâle, elle semblait malade. Elle n'a pas fait son quart le samedi soir.

— Parlez-moi du samedi après-midi. Les détails peuvent être importants.

— Elle est arrivée à une heure. Il n'y avait personne dans le bar. Elle a éteint ma musique parce qu'elle trouvait que c'était trop fort. Elle s'est enfermée dans son bureau, avec ses comptes, comme elle le fait chaque semaine. Au bout d'une demi-heure, elle a quitté sans un mot. Elle est montée dans sa Golf et est partie en direction sud.

— Vers Québec ?

— Vers l'autoroute. Après, je ne sais pas.

Steve déposa le café irlandais devant Surprenant. Les Cowboys avait fait place à Dire Straits. Au-dessus d'une main tendue indiquant les toilettes, une horloge Labatt marquait dix-huit heures vingt.

— Vous devez bien avoir une idée de ce qui est arrivé ? reprit Surprenant.

— Vendredi soir, Diane était de bonne humeur. Le lendemain après-midi, c'est pas compliqué, elle était vert pâle. Il est peut-être arrivé quelque chose entre les deux. C'est votre job de le trouver.

— Et hier ?

— Elle ne m'a donné aucune nouvelle. D'après Johnny, elle était chez son fonds de retraite.

L'expression fut prononcée avec un mépris si manifeste que Surprenant se demanda si Steve avait été pour Diane plus qu'un employé.

— Pour vous, Parent est juste ça, un fonds de retraite ?

Serviette sur l'épaule, Steve tira la manette de sa rousse, question d'évaluer ce qui restait dans le baril.

— J'ai pas traîné à l'école, mais je sais voir ce qui se passe entre deux personnes.

— Dans ce cas-là, c'est quoi ?

— Le docteur est peut-être amoureux. Diane ? Je mettrais pas un dix là-dessus.

Le portable de Surprenant sonna. Labonté, chez Diane, demandait des instructions.

— Vous sécurisez et vous m'attendez. Vous pouvez fouiner autour de la maison si ça vous tente, mais ne virez pas tout à l'envers.

Santerre réapparut. Les conversations, qui avaient repris, s'étranglèrent de nouveau. Une enveloppe à la main, l'Orignal avait l'air excité. Il s'approcha du comptoir et, sans un regard pour le serveur, demanda à Surprenant de l'accompagner à l'extérieur.

Surprenant porta la main à son portefeuille.

— C'est gratuit, fit Steve en levant une main épaisse comme une hache à fendre.

— Je préfère payer.

— C'est votre problème.

— C'est peut-être le vôtre, dit Surprenant en souriant.

* * *

La mine de Santerre, au sortir du bar, avait quelque chose d'inédit. Au lieu de présenter son masque d'officier terne et compétent, il semblait, toute timidité disparue, galvanisé par la gravité de la situation.

— Tu as découvert quelque chose? lui demanda Surprenant.

— C'est elle.

— Tu conduis? suggéra Surprenant en se dirigeant vers la voiture de police. C'est elle quoi?

— Elle a préparé son coup.

Surprenant s'abstint de dire que le fait lui avait toujours semblé évident et prit l'enveloppe que lui tendait son collègue.

— Elle a retiré mille dollars samedi, expliqua l'Orignal. Un autre mille hier. Elle n'a pas fait son dépôt du vendredi soir.

— Tu es sûr?

— Regarde les comptes : chaque samedi, Diane Gagnon dépose la recette du vendredi. C'est le plus gros soir, elle n'aime pas se promener avec du liquide.

Surprenant parcourut les relevés.

— Elle a pris le large avec quatre mille dollars comptant, continua Santerre. On ne pourra pas la suivre par ses transactions électroniques. Avec ça, elle peut tenir des semaines.

— On retourne chez elle.

Pendant le trajet, Surprenant mit Santerre au fait de sa conversation avec le serveur de *Chez Raymond*.

— La situation a basculé samedi, conclut Santerre.

— Pendant que Parent était à Boston. L'hypothèse de son père, c'est qu'elle a appris quelque chose. Ça pourrait être intéressant de savoir quoi et comment. Mais ce n'est pas le plus urgent.

Ils trouvèrent Audrey Gaudette suspendue à son portable, dans une voiture de police. La jeune policière, irréprochable au travail, était empêtrée dans une relation fusionnelle avec un Roméo qui opérait dans Saint-Roch. Surprenant, après s'être juré de lui en glisser un mot, l'observa alors qu'elle refermait précipitamment son appareil.

— Ça va, Audrey?

— Euh… oui.

— Où est Éric?

— Dans la cour.

Les deux sergents trouvèrent Labonté dans une remise assez vaste, électrifiée, qui semblait servir à la fois d'atelier et de réserve de bois de chauffage.

— Quelque chose? s'enquit Surprenant.

— C'est drôle: il y a tout ce qu'il faut pour travailler, sauf les outils de base.

— Ils doivent être à l'intérieur, dit Santerre.

— Ça me surprendrait. À mon avis, la maison n'a pas de cave, juste un vide sanitaire.

Ces observations ne surprirent pas Surprenant. Membre d'une tribu de patenteux, Labonté consacrait ses temps libres à retaper une ancestrale à Château-Richer.

— C'est ce qu'on va voir, dit Surprenant en retournant vers la maison.

Les quatre policiers, gantés, chaussés de nylon, passèrent l'heure suivante à fouiller la résidence de Diane

Gagnon. Labonté avait vu juste : le cottage, un ancien chalet, reposait sur une simple fondation de blocs de béton, sans cave. Dans une armoire, ils découvrirent quelques objets utiles, ampoules, bougies, clous, vis, mais aucun des outils nécessaires à l'entretien d'une maison. La messagerie de la disparue ne révéla rien de particulier, notamment en ce qui concernait la journée du samedi. Dans un dossier intitulé PP, Diane avait regroupé tous les courriels de Parent, lesquels semblaient affectueux ou utilitaires. L'historique du fureteur avait été effacé.

Surprenant chercha la carabine, en vain.

Santerre s'occupa des téléphones. Le portable de Diane Gagnon, après cinq sonneries, le dirigeait invariablement vers une boîte vocale. Le registre de la ligne fixe comprenait plusieurs appels, parmi lesquels il fut soulagé de ne pas retrouver celui de sa copine Marlène. Dernière entrée : la veille, à quinze heures, Diane avait téléphoné à l'appartement de Parent.

Une fouille plus approfondie de la chambre et de la salle de lavage permit quand même de déduire que Diane avait emporté tous ses bas et ses sous-vêtements.

— Normal, commenta Santerre. À partir du moment où elle retirait massivement de l'argent, elle n'avait plus besoin de faire semblant d'avoir été enlevée.

Après s'être intéressé à celle de la cuisine, Labonté examinait le contenu de la poubelle qui flanquait le poste informatique, étalant méthodiquement factures, dépliants publicitaires et enveloppes.

La poste, songea Surprenant.

Sainte-Catherine étant un milieu semi-rural, le courrier n'était pas distribué. Une recherche sur Internet lui permit de localiser le bureau de Postes Canada, rue Jolicœur, fermé à cette heure. Surprenant rappela Johnny

Gagnon et obtint le nom et le numéro de la maîtresse de poste, une dénommée Catherine Saint-Onge.

— Qu'est-ce que tu fabriques ? s'informa Santerre.

— Le courrier. Une chance sur un million.

Santerre haussa les épaules. Surprenant tomba, après quatre sonneries, sur une femme à la voix jeune et enjouée, qu'il imagina, d'après le babil en arrière-fond, tenant un bébé sur sa hanche. Quelques questions le rassurèrent. De un, Catherine Saint-Onge, cinq jours sur sept, déposait elle-même le courrier dans les casiers. De deux, elle connaissait les habitudes des villageois.

— Madame Gagnon ? Deux fois par semaine, mardi et samedi.

— Avez-vous noté quelque chose de particulier dans son courrier cette semaine ?

La question fut accueillie par un silence d'une dizaine de secondes. Au bout du fil, Surprenant imagina le cerveau de la jeune mère sous la forme d'un entrepôt dans lequel s'allongeaient, à l'infini, des étagères.

— La lettre d'enfant ! Une enveloppe brune avec de grosses lettres carrées, toutes croches ! Je l'ai remarquée, vous comprenez, à cause de Jonathan…

— Pas d'adresse de retour ?

— Ça, je ne peux pas vous dire. Encore beau que je me sois souvenue de la lettre !

Surprenant la remercia, raccrocha et fit « Yeah ! ».

Ses trois collègues l'observèrent d'un œil soupçonneux. Il les mit au courant de sa découverte. Santerre ne parut pas impressionné.

— Une lettre anonyme ? Ça ne nous apprend rien sur l'endroit où elle peut se cacher à l'heure où on se parle.

— Il ne faut rien négliger.

Bachand appela. L'avis de recherche était lancé à l'échelle nationale, mais les nouvelles de Québec n'étaient pas bonnes. Les municipaux considéraient que la disparition de Parent, domicilié sur leur territoire, était de leur ressort, et ce, malgré qu'il eût été vu pour la dernière fois au lac Sept-Îles.

— Ils manquent d'ouvrage ceux-là ou quoi ? maugréa Surprenant.

— Disons qu'ils ne nous portent pas dans leur cœur. Parent n'est pas exactement n'importe qui. En plus, à partir de demain, on va avoir les enquêtes criminelles dans les jambes.

— Ce qui signifie ?

— Vous mettez les scellés sur les deux maisons, celle de Diane et celle de Parent, et vous allez vous coucher. Pas besoin de laisser quelqu'un sur place, faut quand même pas virer sur le top.

Surprenant raccrocha, en éprouvant un sentiment de soulagement. Sous pression, Bachand gardait assez d'empire sur lui-même pour ne pas se lancer à la recherche d'un bouc émissaire. Il libéra Labonté et Gaudette. Les deux agents, déçus, reprirent le chemin de Lac-Beauport. Surprenant et Santerre, silencieux, arpentèrent chacun de leur côté le cottage de Diane, à l'affût d'un dernier indice. Ils se retrouvèrent naturellement dans la chambre nue.

Sous l'éclairage d'un plafonnier dont le globe était orné d'un autocollant des Kings de Los Angeles, la pièce vide exhalait, le soir, une tristesse encore plus prenante.

— C'est ici que ça a commencé, dit Santerre.

Surprenant, tout à ses impressions, ne commenta pas. Il prenait conscience de ce fait étrange : depuis le 18 octobre 2003, jour de la mort de Jonathan Gagnon, il ne s'était guère intéressé à l'enfant. Jonathan, dans cette affaire, n'était que la victime, le corps du délit, une existence virtuelle, sacrifiée, symbolisée par ces lunettes dans le fossé du chemin Fossambault. La véritable victime, à ses yeux d'homme et d'enquêteur, était Diane. Jonathan, pourtant, avait existé. Il avait collé, contre l'avis de sa mère sans doute, ce logo des Kings de Los Angeles sur le plafonnier de sa chambre. Pourquoi les Kings ? Pourquoi pas les Canadiens ? Le court-circuit symbolique avec la mégapole californienne, lieu de séjour possible de son père, intriguait Surprenant, bien qu'il fût suffisamment lucide pour comprendre que les coïncidences ne restaient que des vues de l'esprit.

— Tu dérives où, actuellement ? demanda Santerre.

— La question. Pourquoi Parent, après avoir fauché Jonathan, se serait-il approché de Diane ?

L'Orignal secoua la tête, découragé.

— Excuse-moi de me répéter, mais la question, c'est plutôt de savoir où ils sont, ce soir, sur la planète Terre.

— Ils ne sont pas loin. On les retrouvera.

— On sort d'ici.

La maison mise sous scellés, ils prirent le chemin du lac Sept-Îles. Santerre toujours au volant, Surprenant abaissa le dossier de son siège et s'allongea, les yeux clos.

— Tu vas dormir, maintenant ?

— Je réfléchis. On parlera tantôt.

18

Votre fiancé

Diane saisit la bouteille de vin, un cru bourgeois emprunté à la cave de Pierre, et en versa le fond dans son verre. Depuis deux jours, ses pensées tournaient autour de ce rond-point : comment avait-elle pu être aussi bête ? Était-ce le chagrin ? La maladie ? Un effet secondaire de ses médicaments ? Elle croyait avoir de l'intuition. Elle n'avait pas senti que le Dr Pierre Parent, ce buveur de Bleue surgi de l'ombre, jouait un jeu. Elle ouvrit son sac, en sortit la photographie. Devant une table à pique-nique qui évoquait une halte routière, Pierre, le visage détendu, la barbe longue, tirait une glacière du coffre d'un Honda CR-V. Elle avait vérifié sur Internet. La couleur et l'année concordaient. La photo avait été glissée dans une enveloppe brune, sur laquelle son nom et son adresse étaient tracés en lettres carrées, bancales, qui visaient à maquiller une écriture d'adulte.

À l'arrière du cliché, ces deux mots, de la même main : « Votre fiancé. »

Dès lors, tout s'était éclairé, la cour patiente, les gâteries, ce mariage auquel elle avait consenti avec un bonheur authentique.

Quelqu'un l'avait alertée. Qui avait eu cette photo? Il aurait été moins incriminant de laisser un message anonyme. Mais la photographie était tellement plus éloquente! Pour un peu, Pierre aurait pu tirer du Honda, au lieu d'une glacière, le corps de Jonathan.

Pierre avait pourtant raison: cette photo ne constituait pas une preuve. Il était vrai aussi que, après leur rencontre, six mois s'étaient écoulés avant qu'elle ne lui raconte les circonstances de la mort de Jonathan. Mais l'explication de Pierre, cette coïncidence incroyable, ne tenait pas. Elle le sentait dans ses tripes, dans sa tête: l'homme du jeudi l'avait trompée.

Que savait-elle de lui? D'emblée, il l'avait intriguée par son aura de solitude. Pierre était seul, irrémédiablement seul, et ce, depuis l'enfance. Il en parlait peu. Elle savait qu'il avait grandi, fils unique, dans une famille de Giffard dont il avait simplement dit qu'elle était « de classe moyenne ». De ses parents, il lui avait tracé des portraits schématiques, détachés, comme s'ils appartenaient à un monde périmé: Rose, préposée aux malades de Saint-Michel-Archange, et Romuald, journalier pour la municipalité de Giffard. Ce dernier achevait ses jours, aux frais de son fils, dans un luxueux centre d'accueil de Charlesbourg. Pierre lui rendait visite presque chaque semaine. Elle aurait aimé le rencontrer, mais Pierre avait toujours trouvé des raisons pour remettre les présentations.

Il lui avait tout de même donné accès à l'album de famille. Elle y avait entrevu, sous une copie blanchie du visage de son amoureux, un colosse ratatiné, dont les mains, tordues par l'âge, pendaient au bout de bras décharnés, comme des appendices inutiles. L'expression était sévère, peu intelligente, celle d'un grand singe qui souffrait de ne plus trouver, au bout de ses doigts, d'objets à manipuler, à construire, à réparer ou à détruire.

La mère, dont il ne subsistait que de vieilles photos, était morte de démence à la fin des années 1970. Dominé par des yeux bleus presque protubérants, le visage, joues pleines, front haut, était celui d'une grande blonde, aux épaules rondes et aux seins généreux, qui ressemblait à l'ex de Pierre. Posant dans son uniforme immaculé, sous une coiffe d'un autre siècle, Rose Langlois paraissait ouverte, intelligente, mais éteinte, voilée par quelque chagrin.

Rose et Romuald s'étaient-ils aimés ? Peut-être. L'évocation du menuisier lui rappelait une de ses premières intuitions au sujet de son fils. Ce cardiologue éminent, mâle libre et séduisant, portait en lui, comme une empreinte, une indéniable gaucherie. Il s'accrochait à sa sacro-sainte profession par peur du vide. Cet homme n'échappait, ni au physique ni au moral, à l'angoisse de son père. Il était un *homo faber*. D'où son rêve de devenir chirurgien. Il n'existait que par ce qu'il faisait.

Eux-mêmes, Pierre et Diane, étaient-ils mieux appariés que Rose et Romuald ? Quand elle avait détecté la faille de Pierre, cette vulnérabilité d'enfant savant, elle l'en avait aimé davantage. Cet homme qui possédait les attributs extérieurs de la réussite, elle lui apprendrait à aimer et à vivre, elle lui insufflerait la folie qui lui permettrait de briser sa gangue. Ils étaient deux mutilés. Ils pourraient mettre leurs infirmités et leurs forces en commun et danser, valse, tango ou samba, qu'importe, sur le court chemin qui les menait, aussi sûrement que l'automne à l'hiver, à l'hospice et au tombeau.

Non. L'enfant savant, mais peureux, avait menti. Après avoir tué accidentellement Jonathan, il avait refusé d'assumer sa faute. Lui, Pierre Parent M.D., membre du Collège royal des médecins et chirurgiens du Canada, professeur à la Faculté, sauveur des enfants du Québec et de l'Afrique, traîné dans la boue dans les médias et devant les tribunaux ? Jamais ! Il tenait trop à sa réputation.

Il aurait pu en rester là, abandonner le corps au bord du chemin ou l'enterrer quelque part, ce n'était pas si difficile.

Non. Il l'avait déposé dans la rivière, en amont de Sainte-Catherine, croyant peut-être adoucir sa peine.

La chose faite, il aurait pu la laisser tranquille, aller se confesser, faire des dons à l'UNESCO, poursuivre sa petite vie bienveillante.

Non. Il était venu prendre une bière au bar *Chez Raymond,* un an plus tard, pour contempler sa victime.

Il aurait pu, encore une fois, se déclarer quitte et ne pas revenir, de jeudi en jeudi, la prenant à la toile de son mystère. Il aurait pu ne pas l'inviter à souper au lac Sept-Îles, ne pas la séduire, la toucher, maintenir une distance respectueuse.

Non. Il avait voulu, enfant monstrueux, qu'elle l'aime et qu'elle l'épouse, sans lui parler, sans lui faire l'aumône de la vérité.

C'était là qu'il s'était trompé. La fille de Johnny Gagnon aimait les choses claires, droites, tranchées, même si les coupures faisaient mal, atrocement.

Elle n'avait que faire des petits garçons.

La nuit était tombée, quelques minutes plus tôt qu'à Sainte-Catherine. Le poêle répandait une chaleur bienfaisante. La chambre, à côté, était silencieuse. Il ne dormait pas. Elle l'imagina, grelottant dans ses vêtements imprégnés d'urine. Le chalet était isolé, mais il n'y avait pas de chauffage dans la chambre. Il allait geler.

Tant mieux.

À quoi lui servirait-il, mort ? Elle ne pourrait tromper la police ou fuir éternellement. Pauvre Surprenant ! Elle comprenait maintenant pourquoi elle lui avait caché l'existence de Pierre. Une femme ne parlait pas de ses amours à un officier de police, bien sûr. Mais Surprenant était pour elle autre chose qu'un sergent de la SQ. Il lui plaisait. Il la trouvait attirante, lui aussi, malgré son sein manquant. Si elle avait attiré l'attention de Surprenant sur Pierre, il aurait *su*, lui aussi.

Pourquoi ne l'avait-elle pas contacté quand elle avait reçu cette lettre? Cela aurait été si simple. Elle traînait sa carte, avec tous ses numéros, dans son portefeuille. Il l'aurait dépossédée de Pierre. Il aurait été trop heureux de se l'approprier, de le faire emprisonner et de monter une accusation, avec le procureur.

Elle se ferait justice elle-même. Si elle avait eu un brin de jugeote, elle aurait attendu son heure et frappé au bon moment. Elle aurait pu assassiner Pierre de façon habile, sans se faire prendre. Qui sait? Elle aurait pu attendre d'être l'épouse en titre et en tirer quelque avantage. Veuve de cardiologue, ça devait valoir la peine.

Son père le lui avait toujours dit: «Une taure sortie de l'étable! Réfléchis avant d'agir!» Elle vida son verre de vin. Elle réussirait son coup. Pierre était un homme douillet. Il avouerait, devant la caméra. Elle irait ensuite le livrer à Surprenant, puis elle retournerait à sa vie de serveuse. Les saisons passeraient, elle était encore jeune, elle guérirait. Pierre, lui, subirait la honte publique qu'il méritait. Peut-être trouverait-il un avocat assez habile pour l'innocenter? Peut-être serait-elle accusée de séquestration?

Au diable! Elle irait en prison.

— Je veux qu'il paie, murmura-t-elle.

Le son de sa voix la conforta dans son entreprise. Elle alla écouter à la porte de la chambre. Pas un bruit. Elle entra. Pierre était dans la position où elle l'avait laissé, debout, les mains suspendues à la poulie. Il puait.

— Ça va ? demanda-t-elle d'un ton enjoué.

Il leva sur elle des yeux qui l'ébranlèrent. Ce n'était pas le regard apeuré d'un homme souffrant qui s'apprêtait à capituler.

— Tu fais erreur, Diane. Ma seule faute a été de posséder un Honda CR-V gris et de ne pas te l'avoir dit dès le début.

Elle se taisait.

— Détache-moi pendant qu'il en est temps. Il fait froid, j'ai soif, je vais bientôt flancher et me blesser.

— Es-tu prêt à parler ?

— Je n'avouerai pas une faute que je n'ai pas commise.

Il avait emprunté, pour exprimer sa décision, une voix mesurée, olympienne, qu'elle connaissait. Elle l'avait entendu parler au téléphone avec le personnel de l'hôpital. Les ordonnances, les instructions étaient prononcées sur ce ton réfléchi, qui ne trahissait aucune hésitation.

Pitou avait eu le temps de regrouper ses forces. Il était résolu à soutenir le siège.

Elle affronta son regard, puis sortit en laissant la porte ouverte. La chambre était effectivement froide, elle chaufferait toute la nuit.

Il restait quelques larmes de vin au fond de son verre. La défense de Pierre n'était pas malhabile. Elle aurait aimé y croire, mais une voix en elle lui chuchotait, lui disait, lui hurlait qu'il mentait.

* * *

La résidence secondaire de Pierre Parent était un chalet suisse, de dimension modeste, mais qui jouissait de vingt mètres de façade sur le lac. Toutes les lumières étaient éteintes. Le lac Sept-Îles, très échancré, respirait doucement dans son écrin de montagnes.

La Golf de Diane, dans l'entrée, était verrouillée. Surprenant y aperçut, devant le levier de vitesse, un portable. Il composa le numéro de la disparue : l'appareil sonna.

— Elle a fait ses devoirs, conclut Santerre. On ne pourra pas la localiser avec le GPS.

Aucun objet ne reposait sur les sièges. L'espace de rangement arrière comportait un cache-bagages.

— On s'occupera de l'auto demain, décida Surprenant en se dirigeant vers le chalet.

— Ce petit refuge doit valoir quelques deniers, déclara Santerre après un sifflement.

Les portes du chalet étaient verrouillées elles aussi. Surprenant brisa un carreau. Ils pénétrèrent dans un petit hall d'entrée. Un corridor donnait sur une chambre, une salle de bains et une salle de lavage. À l'avant, une grande pièce dotée d'un plafond cathédrale procurait une large vue sur le lac. L'espace, qui servait à la fois de cuisine, de salle à manger et de salon, était le cœur de la maison. Un escalier en acier, suspendu aux poutres, donnait accès à une mezzanine.

Contrairement à Diane, Parent ne semblait avoir fait aucun préparatif de départ. Une bouteille d'Amarone était ouverte. Un fromage entamé fermentait dans la poubelle. De la vaisselle sale traînait sur le comptoir de la cuisine. Le tout évoquait la fin d'un repas, probablement celui de la veille.

La mezzanine consistait en une chambre qui fixait le ciel par deux puits de lumière. Le lit était fait. Sur une table de chevet, l'ordinateur portable de Parent était ouvert, sa messagerie protégée par un code.

— Comment l'a-t-elle enlevé ? demanda Surprenant à voix haute.

— Bonne question, approuva Santerre. Parent doit peser près de deux cents livres.

189

— Il est peut-être parti en auto avec elle de son plein gré ?

— J'ai une autre idée. Viens voir.

Surprenant descendit dans la salle à manger. Accroupi, l'Orignal lui indiqua deux stries roses, parallèles, espacées d'une trentaine de centimètres, sur le parquet de bois franc.

— À moins que je sois aveugle, poursuivit Santerre, ça mène à la porte avant.

Une porte-fenêtre s'ouvrait sur une galerie de bois surplombant un terrain en pente. Les lumières extérieures étaient éteintes. Les stries franchissaient le seuil de la porte puis s'interrompaient sur le bois humide.

— On dirait qu'elle l'a traîné à l'aide de quelque chose...

L'inspection des lieux révéla des traces de pneus sur le gazon devant l'escalier. À l'entrée d'une remise située en bordure du terrain, ils découvrirent, devant divers accessoires nautiques, un long toboggan de plastique rose et un madrier de dix pieds. Les policiers échafaudèrent ce scénario : Diane avait endormi ou assommé Parent, l'avait traîné sur le toboggan jusqu'à la galerie, puis, en le glissant sur le madrier, l'avait tiré dans le coffre du Pathfinder.

— Ça prend du front, commenta Santerre. Les voisins pouvaient la voir.

— Il faisait noir, les lumières étaient éteintes, le terrain est protégé par des arbres. Elle a pris un risque. On va manger ?

Ils bouchèrent le carreau brisé à l'aide d'un carton, apposèrent des scellés et reprirent, à vingt et une heures dix, le chemin de Lac-Beauport. Le trajet fut silencieux, les deux policiers profitant de la pause pour mettre de l'ordre dans leurs idées. Ils firent halte à la *Cage aux Sports* du boulevard Hamel, où la présence de deux équipes de hockeyeurs de garage et la diffusion du *Monday Night Football* leur assurèrent un anonymat presque parfait.

— Donc ? entama l'Orignal en trempant sa lippe charnue dans le collet de sa rousse.

— D'après son amie Francine, Diane devrait être quelque part là-dedans, proposa Surprenant en montrant de son pouce, derrière lui, le nord.

— Comme terrain de recherche, c'est plutôt étendu.

— Il faut fouiller le passé de Diane. Si ça te va, je m'en occupe.

— Ça a toujours été *ton* affaire.

— On ne revient pas là-dessus, veux-tu ? Tu trouves que j'ai gaffé ?

— Ta stratégie était peut-être la bonne. Faut juste espérer que Diane ne coupe pas Parent en petits morceaux de deux pouces.

La serveuse arriva avec les plats.

— Si tu t'occupes du passé de Diane, je m'occupe de la lettre anonyme, proposa Santerre sur un ton plus conciliant. Qui avait intérêt à alerter Diane ?

— Hélène Damphousse. Il ne faut jamais sous-estimer la rancune d'une ex. Il y a aussi la Gosselin. J'ai l'impression qu'elle ne m'a pas dit toute la vérité.

— Et Duchesneau, ton alcoolo de Baie-Saint-Paul… D'après ce que j'ai compris, il ne porte pas Parent dans son cœur.

— Mais il lui fournit un alibi. Je ne vois pas pourquoi il aurait écrit à Diane.

Après un repas rapide, les deux sergents retournèrent au poste, où ils se séparèrent en se donnant rendez-vous à sept heures le lendemain.

Quand Surprenant gara son Cherokee devant le château fort, il était plus de vingt-trois heures. Il pénétra à pas de loup dans la maison silencieuse. Sur le piano, il distingua, brillants dans la pénombre, les yeux inquisiteurs de Chat. Comme promis, Geneviève avait laissé une portion de sole dans le frigo. Sur l'îlot, ce petit mot : « Partie me coucher. Je veux déjeuner avec toi », suivi du rituel trio de x.

Il se versa un doigt de scotch en pensant qu'il était un homme comblé. Toujours sous l'œil de Chat, il s'allongea un instant dans son fauteuil préféré, au salon, aux prises avec cette question insoluble : d'où lui venait, alors, l'angoisse qui lui nouait l'estomac ?

Il fut surpris de trouver Geneviève éveillée lorsqu'il alla se coucher une demi-heure plus tard.

— Qu'est-ce que tu fais ?

— Je ne dors pas.

Surprenant s'assit sur le bord du lit et souleva le livre qu'elle lisait. Ses mains sentaient le shampooing pour bébé. Que Geneviève ne dorme pas à cette heure était un événement. Qu'elle soit plongée dans un manuel de criminologie en était un deuxième. Qu'elle se soit frotté les mains avec le shampooing qui lui rappelait son enfance et le temps où elle lavait elle-même les cheveux de ses garçons signalait un ébranlement mineur des fondations du château fort.

— C'est instructif ? demanda Surprenant en se déshabillant.

— J'essaie de comprendre.

— Moi aussi. Bien que ce ne soit pas une priorité.

Elle lui adressa son célèbre regard de côté, qui exprimait le plus souvent un mélange d'interrogation et de réprobation ironiques.

— Ton Parent est un psychopathe.

Surprenant s'allongea le long de sa blonde et, sans dire un mot, glissa sa tête sous son bras, puis sur sa poitrine.

— Tu as sorti ta robe de chambre ?

— C'est l'automne. Avez-vous avancé?

Il évoqua leurs trouvailles de la soirée, incluant les faits incriminant Diane et la lettre anonyme.

— Pauvre Diane! dit Geneviève. Elle s'est jetée dans la gueule du loup.

— Ce n'est pas pour elle que je m'inquiète.

— On sait bien!

Elle éteignit la lampe de chevet et enleva sa robe de chambre.

— Ce n'est plus l'automne?

— Tu es là, homme poilu.

— Quand même étrange cette lettre anonyme.

— Cherchez la femme. Les hommes ne se dénoncent pas entre eux.

19

Fantômes

La naphtaline. L'odeur discrète, mais bien présente, donnait à Diane un sentiment de sécurité. C'était l'odeur du camp de son père quand il l'emmenait, en raquettes, à la fonte des neiges, pour vérifier l'état des lieux après les tempêtes de mars. Il insérait la clef dans le vieux cadenas, poussait la porte. L'odeur de boules à mites montait au nez de Diane, comme une vague, masquant le parfum sucré du dégel. Il fallait ouvrir portes et fenêtres, faire circuler l'air pendant plus d'une heure malgré le froid, partir une attisée dans la truie noire de graisse, pour dissiper l'odeur insistante, qui ne disparaîtrait pour de bon qu'en mai.

Il y avait de cela près de quarante ans. Elle ne s'endormait plus dès qu'elle déposait sa tête sur l'oreiller. Cette nuit-là, malgré la fatigue et le bordeaux, elle se sentait tendue, hyper vigilante. Le silence était somptueux, si ce n'était de Pierre qui bougeait de temps en temps. Il veillait, lui aussi. À intervalles réguliers, environ toutes les dix minutes, elle entendait un craquement, toujours le même, qui devait correspondre au moment où il changeait de pied pour se soutenir. Crrrric… Dix minutes sur le droit.

Crrrric… Dix minutes sur le gauche. Il faisait exprès, dans l'espoir de la culpabiliser ou de la tenir éveillée.

Mais elle dormirait. Foi de Diane, elle ne se réveillerait qu'à l'aube, son haleine se condensant dans la chambre sortie de l'ombre, pour trouver son fiancé hâve, puant et exténué au bout de sa corde, les poignets entamés par les menottes. Combien de temps tiendrait-il ? Et s'il ne parlait pas ? S'il s'obstinait et se laissait glisser vers la mort, extatiquement, comme un prisonnier d'opinion ?

Si sa version n'était pas une version, mais la vérité ?

Pierre Parent était doté d'une grande force nerveuse. Elle l'avait découvert le premier soir, ce 25 novembre, quand elle avait dansé avec lui à son chalet du lac Sept-Îles.

C'était la Sainte-Catherine, la fête des vieilles filles. Elle n'était pas une vieille fille, mais une vieille femme, emboutie par la mort et le cancer, un sein et un fils en moins sous son chandail de laine trop ample. Ce survenant taciturne savait danser la samba. Quand il l'avait serrée contre lui, elle avait senti en lui une vigueur, une autorité quasi électrique, qui contrastaient avec son enveloppe de monsieur. Cela ne l'avait pas empêchée de retraiter poliment dans sa chambre à la fin de la soirée, et de le laisser mariner quatre semaines dans ses hormones.

Elle n'était pas sûre de cet amour. Avait-elle jamais ressenti de certitude, même quand elle avait accepté de devenir sa femme ? Et pourtant… Un autre soir, un autre jeudi, le 23 décembre…

J'ai dans la tête un vieux sapin, une crèche en dessous
Un saint Joseph avec une canne en caoutchouc

La chanson de Beau Dommage jouait à la radio alors que, la BMW chargée de victuailles, ils entamaient le congé des Fêtes au lac Sept-Îles. C'était son deuxième Noël sans

Jonathan. Le premier, deux mois après l'accident, s'était fondu dans le brouillard du deuil. Le deuxième, paradoxalement, s'annonçait plus douloureux parce qu'elle n'était plus seule. Malgré ses réserves, ou à cause d'elles, le survenant insistait pour l'associer aux célébrations, lesquelles prenaient, chez les Parent, le tour d'une succession de festins entrecoupés de séances de plein air. Frédéric et Andrée allaient débarquer avec leurs conjoints, mais surtout avec la petite Maëva, huitième merveille du monde, qui faisait ses premiers pas. Pierre, le soi-disant gars de bois, par ailleurs incapable d'abattre un canard, manifestait pour cette mascarade de Noël un enthousiasme suspect. Il avait fait installer dans son séjour, par un villageois ravi de ses émoluments, un gigantesque sapin orné des colifichets qu'il avait achetés dans une boutique de la haute-ville.

Il fêtait son premier Noël dans ce chalet où il entendait passer de plus en plus de temps depuis qu'il avait amorcé ce qu'il appelait sa semi-retraite : au lieu de cinquante-cinq heures par semaine, il en travaillait quarante. Ce 23 décembre était un jour de préparatifs. Ils avaient mangé, bu du vin, emballé des cadeaux ruineux. Il devinait qu'elle le trouvait un peu ridicule, voire qu'elle désapprouvait la débauche mercantile à laquelle il s'abandonnait, mais il savait qu'elle appréciait qu'il soit un homme de famille.

Bien sûr, il avait quitté sa femme, après vingt-cinq ans de mariage, pour des motifs nébuleux. « C'était mort »… « J'étouffais »… Beaucoup de couples choisissaient de traverser ces déserts.

Après son divorce, Pierre avait fréquenté quelques femmes, jamais plus de quelques mois selon lui. Il l'avait choisie, elle, une bachelière en lettres devenue propriétaire de bar, après le classique détour en communication. Elle n'était ni très riche ni très belle. La vie l'avait éprouvée. Elle avait un caractère difficile, explosif. Elle cuisinait de façon passable et tolérait mal les mondanités. Par tous ces côtés, elle était l'envers d'Hélène, cette femme équilibrée, compréhensive, zen, parfaite jusque dans ses travers.

En ce 23 décembre, ce jeune semi-retraité, accompagnant Sinatra dans un sirupeux *I'll Be Home for Christmas*, lui avait demandé, dans ce chalet luxueux, de poser son index sur le nœud de la boucle qu'il essayait de fixer autour d'un toboggan de plastique rose de plus de deux mètres.

— Tu ne trouves pas que c'est un peu gros pour Maëva ? Elle n'a que onze mois.

— Faut ce qu'il faut.

La boucle en place, il avait saisi son doigt, puis sa main, puis sa taille, l'avait fait tourbillonner dans un pas de rock'n'roll, l'avait emprisonnée, bras croisés, contre lui, l'avait embrassée sur la nuque. Il tenait toujours, retournés dans sa paume droite, les ciseaux avec lesquels il avait découpé le papier d'emballage. Elle les sentait contre son flanc droit, ce qui augmentait son trouble.

— Je n'ai pas besoin de cadeau, cette année, lui avait-il susurré à l'oreille.

— Trop tard !

Dans la chambre, elle avait compris que ces deux mots s'appliquaient aussi à elle. Le piège s'était refermé sur sa quiétude, non pas tant quand il l'avait pénétrée que quand elle avait senti que son va-et-vient lent, patient, attentif, éveillait en elle des émois anciens, qu'elle croyait emportés par le chagrin et la maladie. Les premiers ébats étaient rarement mémorables. Ceux-ci l'étaient parce qu'ils établissaient d'emblée l'ordre de leur relation : deux individus de milieux et de tempéraments différents qui se rencontraient dans un espace nouveau, fascinant, confortable malgré son étrangeté.

Au centre de cet espace se trouvait le secret. Elle n'en avait pas conscience et croyait que son trouble provenait de quelque qualité intrinsèque de Pierre ou de leur relation.

Elle craignait qu'il soit un piètre amant. Il bandait convenablement et l'avait amenée, d'une façon méthodique et quasi obsédante, à une conclusion satisfaisante. L'orgasme n'avait pas la puissance de ceux de son jeune temps, ou même des traites qu'elle s'était payées avec ses occasionnels. Il lui avait tout de même soutiré quelques larmes. Quelque chose était en train de se gommer ou de se réparer.

— Et toi ?

Lui n'avait pas joui.

— On n'est pas pressés, avait-il dit en se couchant sur le dos.

À peine essoufflé, il semblait surtout heureux d'en avoir terminé avec ce rite de passage. Plus tard, elle avait voulu réanimer son engin. L'entreprise n'avait pas été difficile. Pierre, toujours aussi peu pressé, n'avait consenti à éjaculer que lorsqu'elle eut de nouveau explosé. Sa jouissance s'était accompagnée d'un gémissement, qui évoquait autant la douleur, le regret, que le plaisir. Si leurs ébats avaient pris par la suite des chemins moins balisés, elle avait senti, dès la première nuit, qu'il préférait donner plutôt que prendre, contrôler plutôt que s'abandonner.

Plus tard, cette nuit-là, elle s'était assoupie et avait dormi sept heures d'affilée, une première depuis des mois. Fait étrange, elle dormait bien près de cet homme distant avec qui elle cherchait parfois des sujets de conversation.

Crrrric… Crrrric… Cette nuit, Diane ne dormait pas. Elle le savait maintenant. Si Pierre Parent l'avait séduite après la mort de Jonathan, c'était parce qu'il ne pouvait résister à deux besoins : contrôler et expier.

C'était maintenant elle qui contrôlait.

Quant à l'expiation, elle ne faisait que commencer.

**

Dans un souterrain qui communique avec le poste de Lac-Beauport, en compagnie d'adolescents intoxiqués ou ivres, il empoisonne ou abat à coups de machette des dizaines de personnes, dont Maria et de jeunes enfants. À la fin du massacre, il referme la porte communicante en s'assurant qu'il n'a pas de sang sur son uniforme. Il ne sera pas inquiété pour cette histoire : tous les témoins sont morts. Il a une nouvelle blonde, une brune sans relief, qui ignore tout de son crime.

Santerre apparaît, découvre le souterrain dans lequel errent des survivants du carnage. Le poison n'était pas mortel. Avec un frisson d'horreur, il comprend qu'il est condamné à terminer ses jours en prison.

En sueur, Surprenant se tourna dans son lit. Il regarda l'heure affichée au radio-réveil : 4:32. Il ne se rendormirait pas.

Autant en profiter. Vingt minutes plus tard, il roulait sur Dufferin-Montmorency en direction de Québec. À sa gauche, le fleuve, à marée haute, se hérissait de vagues écumeuses. Il avait neigé à L'Étape. Novembre se profilait avec son froid et ses noirceurs.

Le 1052 Moncton baignait dans la lumière laiteuse d'un lampadaire. Il entra en utilisant la clef du voisin. L'appartement était éclairé par deux veilleuses. Surprenant s'assit dans le fauteuil d'où le médecin lui avait parlé, quatre jours plus tôt, près du foyer.

Que lui révélait cet appartement ? Que lui cachait-il ? De la pièce formée par la tourelle, très fenêtrée, Parent avait fait son cabinet de travail. Revues, articles, classeurs, livres de référence, la médecine y était en vitrine.

Sur les murs du salon, il devinait plutôt qu'il ne voyait les photographies d'enfants, les statuettes, les masques africains qui constituaient l'essentiel de la décoration. Après le médecin, le salon célébrait le philanthrope. Surprenant se leva, alluma et déambula dans l'appartement. L'autre pièce double, derrière les portes françaises, servait de salle à dîner. Les fenêtres y donnaient sur les érables de la rue puis, à droite, sur les Plaines et le Musée national des beaux-arts. Table de bois laqué noir, chaises grises, murs ornés de toiles abstraites, minimalistes, dont l'une, sur fond rouge, évoquait la silhouette filiforme d'un enfant aux yeux implorants.

Au fond de la pièce, dans une sorte d'alcôve en acajou qui semblait fabriquée sur mesure, se trouvait la discothèque et la chaîne stéréo. Il y découvrit une débauche de disques classiques, des intégrales, des opéras, des coffrets coûteux classés par ordre alphabétique. À côté, moins nombreux, les incontournables du swing, de la samba et du bebop. Pas de rock, pas de chanson, pas de reliquats d'une jeunesse tumultueuse.

Où étaient les proches de Parent? Surprenant les trouva dans la cuisine, des photographies, à trois époques différentes, de deux jeunes gens qui devaient être, d'après leurs traits physiques, sa fille et son fils. Un cliché les représentait, enfants, entourant leur mère jeune et rayonnante. Une photo plus récente, fixée au frigo, représentait un bébé blond aux yeux bruns, une petite-fille sans doute.

Aucune trace de Diane, encore moins de Jonathan. Surprenant en découvrit dans le tiroir de la table de chevet, sous la forme d'une carte-cadeau: «À l'homme de ma deuxième vie. Tu es mon amour. Diane.»

Parent était tout en façade. Surprenant se tourna vers les tiroirs, les classeurs et les garde-robes. Trois quarts d'heure plus tard, une vieille boîte à souliers, sur la tablette supérieure du walk-in qui jouxtait la chambre à coucher, attira son attention. La boîte rectangulaire, aux couleurs passées, faite d'un carton qui lui rappelait son enfance et ornée du slogan « ORWELL BOOTS KEEP YOU DRY FOREVER », contenait ce qui semblait être des souvenirs de la mère de Parent.

Un chapelet aux grains patinés, un anneau en or terni, des lettres et des photographies centrées sur un couple qui semblait amoureux, une grande blonde, le front haut, et un jeune homme élégant, au regard intelligent. Les dates étaient inscrites au dos, soigneusement calligraphiées : 1939, 1940. Sur les dernières, le jeune homme apparaissait en uniforme, le visage grave. Sa compagne semblait toujours confiante à son bras. Une médaille matricule, un avis de décès publié dans *Le Soleil* : « Jean-Léon Simard, 22 ans, des Fusiliers Mont-Royal, est décédé le 19 août 1942 à Dieppe, en France. »

Surprenant parcourut une lettre du soldat. À travers quelques trous provoqués par la censure, il y découvrit un homme chaleureux, éduqué. Une lettre signée *Rose*, plus prosaïque, n'était pas dépourvue d'esprit. Étaient-ils fiancés, mariés ? Parent était né en 1950. Que s'était-il passé pendant ces huit ans ? Qui était Simard ? Surprenant referma la boîte à souliers et la remit à sa place. Hélène Damphousse pourrait sans doute le renseigner, si tant est que ce drame lointain puisse avoir une incidence sur ce qui se déroulait soixante-trois ans plus tard.

* * *

Surprenant retrouva l'Orignal au poste, comme ils en avaient convenu, à sept heures.

— La mère de Parent a eu un fiancé avant son mari.

— Ça nous mène où ?

— Il est mort à Dieppe, en 1942.

202

L'intérêt de Santerre s'alluma soudain.

— J'y suis allé ! Attends un peu, il devait faire partie du bataillon qui...

Le cheveu blanc, la mine sombre, Bachand les rejoignit près de la machine à espresso. Les trois policiers partagèrent les informations disponibles, de même que leurs impressions. Il apparut que le lieutenant et les sergents évoluaient dans deux univers différents. Face à l'irruption imminente des municipaux et de l'escouade des crimes contre la personne dans son fief, Bachand craignait d'éventuels conflits hiérarchiques. Ses enquêteurs, quant à eux, frétillaient comme des retrievers. Le lieutenant, avec une certaine nostalgie, s'informa de leurs plans d'action.

— Laissons la machine se lancer à la poursuite du Pathfinder, proposa Surprenant. De mon côté, je me mets sur la piste de Diane. Luc s'occupera de la lettre anonyme et de Parent.

— Ça ne marchera pas, objecta Bachand. Les gars du BEC vont vouloir garder l'un de vous deux sur place.

Surprenant et Santerre se regardèrent. Ni l'un ni l'autre n'avait envie de passer des heures à se faire regarder de haut par des prétendus experts de la ville.

— OK, les enfants, fit Bachand en sortant un huard de sa poche.

— Pile, choisit Surprenant.

Le sort le favorisa. Santerre, dépité, lâcha un « hostie ! » et termina d'une traite son cappuccino.

— Fais l'idiot, lui conseilla Surprenant. Ils vont finir par te laisser aller.

Il se dirigeait déjà vers la porte.

— André ! lui cria Bachand.

Surprenant s'immobilisa dans le cadre de porte.

— Tu me tiens au courant. Trois fois par jour.

— 10-4.

Il quitta le poste avec soulagement. Il était seul et avait carte blanche pour retrouver Diane et Parent. Le soleil, étouffé derrière une chape de cumulus, révélait un paysage ébouriffé, où dominaient le jaune et le gris. Un vent teigneux poussait les banlieusards vers l'autoroute. Il pleuvrait d'ici deux heures.

Surprenant partit en direction ouest et appela Johnny Gagnon.

— Des nouvelles? demanda ce dernier, d'une voix qui trahissait pour la première fois une certaine anxiété.

— Rien. J'ai besoin de votre aide.

Il demanda au bûcheron de dresser une liste de tous les camps de chasse, chalets, pourvoiries que sa fille avait pu visiter pendant son existence.

— Tu es drôle, toi! s'étonna Gagnon. Si j'étais Diane, je ne me cacherais pas dans un endroit connu de mes proches.

— Vous avez peut-être raison. Il reste qu'elle a pu aussi se réfugier dans un lieu familier. Pensez à quelque chose qui remonte à loin, un vieil ami, une connaissance vague.

20

Une boucle, une roue, un O parfait

Elle l'interrogea une nouvelle fois au matin. Elle répéta les mêmes questions, sa caméra à portée de la main, comme une mère à l'affût d'une prouesse que son enfant aurait faite. Il reprit, avec plus de détails, ses explications de la veille : ils étaient victimes d'une absurde coïncidence.

Elle disparut, l'abandonnant au froid et à la puanteur. Il entendit démarrer le Pathfinder. D'après le soleil et le son décroissant des pneus sur la route de terre, il estima qu'elle était partie en direction sud.

Était-ce un premier signe de fléchissement ? Sur le fauteuil, elle avait déposé une chaîne stéréo portative, qu'elle avait réglée avec soin.

Der Hölle Rache kocht in meinem Herzen

L'air de *La Reine de la Nuit*. Une angoisse nouvelle l'envahit. *Une colère terrible consume mon cœur.* Diane avait choisi cet extrait plutôt que l'ouverture qui occupait la première plage du CD. L'air était connu et spectaculaire. Il était aussi, d'une certaine façon, insupportable, la soprano glapissant le célèbre *ha ha ha ha ha ha ha ha* jusqu'au contre *fa*. Il était surtout l'expression parfaite du désir de vengeance.

Hört! Hört! Hört, Rachegötter! Hört der Mutter Schwur!

Entendez! Entendez! Entendez, dieux de vengeance! Entendez le serment d'une mère! L'air s'acheva… puis recommença. Elle avait mis la piste en boucle.

* * *

Surprenant joignit Francine Duff alors qu'elle s'apprê-tait à partir pour le travail.

—J'ai à vous parler, annonça-t-il.

—J'ai un client à huit heures et quart.

—Annulez. J'ai besoin de tout savoir de Diane, et vite à part ça.

Francine Duff habitait un condo situé au troisième étage d'un immeuble, à Cap-Rouge. Situé à l'ombre du *tracel*, sur une rue jetée en pâture aux promoteurs quinze ans plus tôt, la construction présentait peu d'intérêt, si ce n'était la proximité du fleuve. La porte blanche, ornée d'un 9 pla-qué or, s'ouvrit sur un intérieur chaleureux mais convenu. La cuisine aux armoires de style *shaker* donnait, au-delà d'un îlot, sur un séjour-salle à manger équipé de meubles en cuir et de tableaux déparés par des cadres massifs. Cinq portes de pin signalaient la présence d'espaces satellites, chambres, salle de lavage, salle de bains, pour l'instant soustraits aux yeux du policier.

Tout était propre et ordonné, aussi irréprochable que Francine Duff elle-même, laquelle, sanglée dans un nou-veau tailleur et le visage ravivé par un maquillage un peu costaud, s'apprêtait à aller vendre du rêve aux investis-seurs de l'arrière-pays.

— J'ai préparé du café.

Pour une raison inconnue, elle semblait mal à l'aise.

— Merci.

Il s'assoyait devant l'îlot quand la porte-fenêtre qui donnait sur le balcon s'ouvrit. Une jeune fille qui portait un anorak de style militaire par-dessus un pyjama orné de petits canards traversa le séjour, les cheveux en broussaille et empestant la cigarette, et alla se réfugier dans ce qui devait être sa chambre.

— Marie-Ève, dit Francine Duff, sur un ton qui exprimait à la fois la fierté et l'exaspération.

Surprenant hocha la tête en signe de solidarité. Il sortit de sa poche son carnet de notes et soutira de l'amie un compte rendu à la fois impressionniste et détaillé du parcours de Diane Gagnon.

Elle était née en avril 1959, deuxième et dernier enfant de Johnny Gagnon, contremaître, et de Corinne Plamondon. La mère, selon la rumeur, « n'avait pas de santé », ce qui expliquait que le couple n'avait eu que deux enfants et qu'elle disparaissait quelques semaines, chaque deux ou trois ans, pour refaire ses forces dans un hôpital de Québec. Le premier-né, Gilles, n'avait pas satisfait les ambitions du père et avait choisi de vivre en Europe puis à Toronto, où il travaillait dans l'industrie du spectacle.

Il avait auparavant fui le joug paternel en étant pensionnaire dans un collège de la Côte-de-Beaupré. Diane, de son côté, était une enfant de la polyvalente. Elle avait affronté Johnny au cours d'une adolescence tumultueuse, marquée par une sexualité précoce : une succession de chums à partir de quatorze ans, puis cette relation prolongée avec Denis Faubert. Grand fumeur, grand lecteur, grand buveur, Faubert habitait dans un rang de Saint-Léonard-de-Portneuf, où il vivait de trafic de drogue, d'assurance-chômage et de travaux de reboisement. Leur relation, alors qu'elle avait dix-sept ans, et lui, vingt-quatre, avait commencé sous le signe de la passion pour se terminer dans une sorte de mentorat intellectuel, Diane gardant le contact avec lui quand il se dispersa dans une suite de conquêtes sans lendemain, puis dans la marginalité.

— Ça ne semble pourtant pas être dans le caractère de Diane de « garder le contact », comme vous dites.

— Elle était déjà rendue ailleurs, mais elle a toujours éprouvé une sorte de reconnaissance envers Denis. Il a eu un accident, est devenu une sorte de schizophrène. La dernière fois que j'en ai entendu parler, il était itinérant dans le Vieux. C'était il y a dix ans. À ma connaissance, Diane a elle-même cessé de le supporter.

À l'âge de dix-neuf ans, l'ailleurs de Diane avait été un quatre et demie du quartier Saint-Jean-Baptiste. Le jour, elle faisait son bac en lettres à l'université. Le soir, elle était serveuse dans les bars du quartier latin, ce qui l'affranchissait de l'emprise de Johnny. Deux ans plus tard, elle avait rencontré André-Louis Lanteigne, comédien « expérimental ». Le couple avait vécu en union libre de 1980 à 1986.

— Qu'est devenu ce Lanteigne ?

— Il a fait du théâtre, puis des publicités.

— Raison de la séparation ?

— André-Louis était toujours en tournée. Il couraillait et faisait des dettes. Diane a fini par le mettre dehors. Elle a abandonné sa maîtrise pour travailler comme relationniste pour des troupes de théâtre, pour le Festival d'été. Ça a été sa période publique. Des amants, évidemment, mais pas d'hommes à la maison, jusqu'à ce qu'elle rencontre son *mari*.

— Jean-Claude Montreuil. Le père de Jonathan.

— C'était un bon gars, un fonctionnaire du ministère des Affaires culturelles avec qui elle était entrée en relation dans le cadre de son travail. À trente ans, elle a peut-être eu envie de se caser, d'avoir des enfants. Elle a quitté Saint-Jean-Baptiste pour s'installer dans un bungalow de Charlesbourg, pensez !

Surprenant écouta le récit de la désagrégation de ce troisième couple, cette fois-ci précipitée par l'infidélité du bon gars, avec un irritant sentiment de déjà-vu. Son mariage ne s'était-il pas échoué sur ce récif ? Bien sûr, il n'avait pas couché avec Geneviève avant que Maria eût fait ses malles pour retourner à Montréal. Il avait néanmoins trompé son épouse en pensée, entraînant sa jeune subalterne, à son corps défendant, dans un adultère virtuel. Cette relation avait fini par prendre corps et par durer, après de douloureux mois d'attente et de tergiversations. Il n'en restait pas moins qu'elle était bâtie, comme une grande cité, sur les ruines de ses amours précédents. Pouvait-il en être autrement ?

— Et après son divorce, conclut Surprenant, elle est retournée vivre à Sainte-Catherine auprès de son père.

Francine Duff ne réagit pas. Elle suivait le cheminement de la pensée de Surprenant. La vie de Diane Gagnon ressemblait à un chemin de croix dont les stations auraient été ses hommes : Faubert le paumé, Lanteigne le comédien, Montreuil le bon gars, et enfin Pierre Parent, le ténébreux danseur de samba. Derrière ces êtres de passage se tenait, au seuil de la forêt dont il connaissait les secrets, Johnny Gagnon, encore plus présent depuis que la mère, ce personnage falot, souffrant, était décédée. Jonathan était mort à son tour, si bien qu'il y avait fort à parier que la vie amoureuse de Diane s'achèverait en une boucle parfaite : elle vieillirait auprès du père dont elle avait voulu se délivrer à l'adolescence.

— Vous avez eu le temps de réfléchir depuis hier, reprit Surprenant. Avez-vous une quelconque idée de l'endroit où se cache Diane ?

— Je suis une fille de ville. Je n'aime pas la campagne, le bois, la chasse, la pêche. Diane et moi, nous nous retrouvions quand elle sortait à Québec. Je ne peux pas vous aider. Vous devriez parler à Steve, au bar.

— Il s'est déjà passé quelque chose entre Diane et lui ?

— Pas que je sache. Diane ne se serait pas compromise avec un employé.

La porte de la chambre s'ouvrit. Marie-Ève réapparut, cette fois flottant dans une robe de chambre trop grande. Toujours aussi silencieuse, elle se dirigea vers la salle de bains.

— Marie-Ève ! dit sa mère.

L'adolescente s'immobilisa et tourna vers Surprenant un visage où il retrouva, encore indécis, les traits de sa mère.

— Je te présente le sergent Surprenant. Il est à la recherche de Diane.

Marie-Ève salua poliment de la tête. La disparition de la meilleure amie de sa mère ne semblait pas l'affecter outre mesure. Elle se réfugia dans la salle de bains. Surprenant eut l'étrange impression d'avoir entrevu Diane, l'adolescente rebelle des années 70.

— La roue tourne, dit-il en se levant.

* * *

Surprenant emprunta la Promenade-des-Sœurs et la route Jean-Gauvin sans trop savoir où il allait. Il se rangea dans le stationnement d'un supermarché et appela Santerre. L'équipe des enquêtes criminelles avait débarqué à Sainte-Catherine. Un hélicoptère ratissait la région. Un avis de recherche national avait été lancé.

— Le grand cirque ! résuma l'Orignal, qui ne semblait pas enchanté de l'expérience.

— Et toi ?

— Tu avais raison : ils sont tellement imbus d'eux-mêmes qu'ils me laissent les tâches de routine. Je devrais recevoir d'une minute à l'autre le relevé des appels de Diane et de Parent.

— Demande aussi le relevé du bar et de la plus proche boîte téléphonique.

— OK.

— Diane a fréquenté dans sa jeunesse un drôle de moineau, un dénommé Denis Faubert. Il doit être au début de la cinquantaine aujourd'hui. Si tu as le temps, va piquer une jasette avec Steve, le serveur. Il en sait peut-être plus qu'on pense.

— D'accord. N'oublie pas d'appeler Bachand. Lui, il ne t'oubliera pas.

Surprenant raccrocha en méditant sur la complexité des relations humaines. Si Jonathan Gagnon n'avait pas été fauché par un Honda CR-V le 18 octobre 2003, si Diane, deux semaines plus tôt, n'avait pas prononcé le mot « cardiologue », s'il n'avait pas entendu, le même jour, *My Foolish Heart*, si Santerre n'avait pas rencontré sa copine française, les deux policiers auraient-ils noué une si bonne relation ? Vu sous cet angle, la vie n'était-elle pas un gigantesque carambolage ?

Il appela Hélène Damphousse.

— Vous l'avez retrouvé ? demanda-t-elle d'une voix anxieuse.

— Je dois vous parler.

— Je veux bien collaborer, mais je doute de pouvoir être utile.

Trente minutes plus tard, il sonnait à un petit cottage de l'avenue des Maires-Gauthier. La maison était coquette, bien que située à proximité d'un édifice gouvernemental. Hélène Damphousse, plus en forme que la semaine précédente, reçut Surprenant dans un salon d'une froideur élégante.

— Thé ? Café ?

— Merci. Je ne fais que passer.

— Votre visite doit donc être importante. Vous êtes certain que vous n'avez rien de nouveau ?

Surprenant examinait le visage de l'ex-conjointe de Parent. Il y lisait, sous l'affabilité, la circonspection.

— J'ai visité l'appartement de votre ex-mari. J'aimerais que vous me parliez du premier fiancé, ou mari, de votre belle-mère.

Hélène Damphousse haussa les épaules, comme si le sujet lui semblait peu important.

— Pierre n'en parlait pour ainsi dire jamais. Pas plus que sa mère, d'ailleurs. Dans la famille de Rose, on appelait ça le « grand malheur ». Jean-Léon Simard venait de Charlevoix. Une bonne famille, le père était avocat, mais il s'était fourvoyé dans de mauvaises affaires. Rose venait de Saint-Sauveur. Jean-Léon étudiait sur la butte, en haut. Les Simard n'étaient pas en faveur du mariage, mais le père est mort de la jaunisse. Jean-Léon s'est retrouvé soutien de famille. Il a épousé Rose et s'est engagé dans l'armée. Dans ce temps-là, il se passait des trucs comme ça. Par malheur, il a été tué à Dieppe. D'après ce que j'ai cru comprendre, Rose a fait une dépression. Sept ans plus tard, elle a épousé Romuald, un bon ouvrier qui la poursuivait depuis un bout. Mais c'était pas Jean-Léon !

— À défaut d'avoir un mari sur la butte, elle aurait un fils sur la butte.

Son hôtesse, elle-même de Sillery, le toisant d'un air offusqué, Surprenant remit à plus tard l'exploration de la psyché de Pierre Parent.

— J'ai réfléchi à notre promenade au Bois-de-Coulonge. Vous avez porté beaucoup d'attention aux fréquentations de votre ex-mari.

— Dans une petite ville comme Québec...

— Québec n'est quand même pas un village. J'aimerais reconstituer son... parcours.

— C'est de la torture ! gloussa Hélène Damphousse, qui sembla regretter aussitôt sa plaisanterie. Pierre est disparu avec Diane, c'est d'elle dont vous devriez me parler.

— Tout peut être important.

Sortant son carnet, Surprenant prit dix minutes pour noter les dates et les noms des conquêtes de Parent. La mémoire de son témoin, d'abord fidèle, s'embrouillait à mesure qu'elle approchait de 2003.

Surprenant consulta ostensiblement ses notes.

— Vous avez évoqué, la semaine dernière, *la Gosselin*. Vous pensiez à Micheline Gosselin, l'agente immobilière ?

Le rouge monta aux joues d'Hélène Damphousse.

— Je ne connais pas cette femme, mais je sais qu'elle est mariée. Ça ne me regarde pas, évidemment. J'ai beau être séparée de Pierre, je garde une certaine... pudeur quant à ses comportements.

— Cette relation a duré jusqu'à quand ?

— Février 2004, je dirais.

— Soit quatre mois après l'accident. Vous m'avez dit que Québec est une petite ville. Comment êtes-vous au courant de tous ces détails ?

— Une de mes bonnes amies demeure sur Moncton, en face de chez Pierre. C'est là que ça se passait. Pour moi, c'est assez humiliant de vous déballer ça.

— Me cachez-vous autre chose, madame ?

— C'est assez, vous ne trouvez pas ?

— Vendredi dernier, Diane a reçu une lettre.

— Une lettre ?

— Une enveloppe brune avec de grosses lettres carrées. L'écriture était maquillée.

Hélène Damphousse leva vers Surprenant un visage où ses lèvres, enduites ce jour-là d'un rose discret, dessinaient un O parfait.

— Vous ne m'accusez quand même pas d'avoir envoyé une lettre anonyme !

— Vous aviez certainement intérêt à le faire. Nous avons récupéré cette lettre. Nous allons faire des analyses.

Coupable ou non, son interlocutrice ne mordit pas à l'hameçon. Reprenant son calme :

— Procédez à toutes les analyses que vous voudrez. Je comprends par ailleurs que vous devez parfois poser des questions peu agréables. Je fais la même chose avec mes patients.

Surprenant prit congé et sortit, non sans noter que le Dr Hélène Damphousse, d'une nature si curieuse, avait omis de s'informer du contenu de la lettre.

21

L'épée de Don Juan

Ce qui l'embêtait, c'était les menottes.

Si ses poignets avaient été liés par des cordes, il aurait pu se laisser pendre de temps à autre et accorder à ses jambes un peu de repos. Les quadriceps lui cuisaient, mais la morsure de l'acier et la crainte de s'infliger des blessures permanentes le forçaient à demeurer debout, malgré la soif et l'épuisement.

Le soleil montait. Mardi matin. Il n'avait rien bu, rien mangé depuis près de quarante heures. Il avait uriné une deuxième fois, à l'aube, une autre marée déplaisante sur ses cuisses. Maintenant, il n'avait plus d'envie. Pour lutter contre le sommeil et se donner du courage, il se représentait la mobilisation de son organisme. Son cerveau et ses reins avaient depuis longtemps sonné le branle-bas de combat. Ses vaisseaux périphériques se contractaient pour concentrer le sang vers les organes centraux. Son hypophyse sécrétait des flots d'hormone antidiurétique, ses surrénales, de l'épinéphrine et du cortisol. Ses reins concentraient l'urine pour maintenir la circulation et la tension artérielle. Son foie relâchait du sucre à partir de ses réserves de glycogène. Malgré tout, il brûlait déjà ses protéines, comme un locataire qui jette le mobilier au feu pour se chauffer.

Sans eau, il estimait qu'il pouvait tenir deux autres jours sans perdre conscience, trois sans s'engager vers une insuffisance rénale et une hypotension terminales.

Il était en bonne santé.

Ce n'était pas lui qui craquerait, ce serait elle.

Diane lui avait retiré sa montre-bracelet. Depuis combien de temps était-il en compagnie de *La Reine de la Nuit*? Deux heures? Trois heures? *Ha ha ha ha ha ha ha ha.* Diane s'était peut-être trompée. Malgré les aigus agressants de la cantatrice, Mozart lui fournissait une raison d'espérer. Sa geôlière, avant de quitter le chalet du lac Sept-Îles, avait choisi cet enregistrement dans sa discothèque. Pourquoi, sinon pour lui rappeler leur escapade à New York?

Il s'agissait indéniablement d'un des hauts faits de leur relation. À la mi-mars, il lui avait demandé si elle pouvait laisser le bar à Steve pendant un week-end.

— Tu as quelque chose derrière la tête, avait-elle observé.

— Ça se peut.

Il était passé la prendre sur le chemin Montcalm, le vendredi après-midi. Elle était montée à bord de la BMW, intriguée mais trop fière pour s'informer de leur destination. Quand il avait emprunté l'autoroute Duplessis en direction de L'Ancienne-Lorette, elle avait échappé un sourire qui l'avait bouleversé, puis, soudainement sérieuse:

— Je n'ai pas apporté mon passeport.

— Aucun problème.

Silence jusqu'à l'aéroport. Devant les comptoirs de Continental Airlines, alors qu'il sortait de la poche de son veston deux billets pour New York, elle avait répété qu'elle n'avait ni son passeport, ni son acte de naissance, ni rien qui lui permît de passer les douanes américaines.

— Aucun problème.

Il avait tiré les deux passeports de l'autre poche de son veston.

— Tu fouilles dans mes affaires, maintenant? avait-elle demandé durement alors qu'ils survolaient les White Mountains.

— C'est toi-même qui as sorti le passeport de ta commode, le mois passé. J'ai voulu te faire une surprise.

Il l'avait emmenée dans un hôtel allemand qui surplombait Central Park, puis dans un restaurant italien du Lower Manhattan dont il connaissait le propriétaire par le prénom.

— Tu as invité combien de femmes ici?

— Aucune qui t'aille à la cheville.

Le lendemain matin, au déjeuner, Diane avait appris que la pièce de résistance du week-end consistait en une soirée au Metropolitan Opera. *La flûte enchantée* de Mozart, rien de moins.

— *Die Zauberflöte*, avait-il précisé avant d'attaquer son hareng mariné.

Si Diane était elle-même enchantée, elle le cachait bien.

— Je vais mettre quoi, pour aller voir ta *ziberflotte*? Je sais, tu vas encore me dire «Aucun problème»! Écoute, bonhomme, je ne suis pas Julia Roberts!

Il avait avalé son hareng et l'allusion à *Pretty Woman* en prenant conscience de la double étendue de sa vanité et de sa maladresse. Il s'était excusé pour le passeport, la *ziberflotte* et l'ensemble de son œuvre. Ils étaient allés ensemble acheter une robe chez Macy's, et elle avait insisté pour payer. Le soir, elle rayonnait d'une beauté sauvage, sombre rockeuse au sein de la faune argentée du Lincoln

Center. Cette femme n'était pas comme les autres. Pendant la représentation, il avait compris que, dans cette relation qu'il croyait contrôler, il était Papageno plutôt que Sarastro, l'amoureux transi aspirant à une vie simple au milieu de la forêt plutôt que le grand prêtre départageant le Bien et le Mal.

Diane Gagnon, beauté sauvage au sein manquant, l'avait conquis.

Les menottes le ramenèrent cruellement à la réalité.

Il devait trouver la force de résister.

* * *

Fidèle à sa promesse, Surprenant fit rapport à Bachand plus tard en avant-midi.

— Je me crisse que ce soit peut-être l'ex de Parent qui ait envoyé une lettre anonyme à Diane ! tempêta le lieutenant. Ce que je veux savoir, c'est où elle se cache. Qu'est-ce que tu as l'intention de faire cet après-midi ?

— Continuer à fouiller le passé de Diane. La réponse est là.

— J'espère pour toi. Je tiens le fort face aux municipaux et aux gars des enquêtes criminelles. J'ai dû leur dire que tu soupçonnais Parent depuis un bout. Ils ne se gênent pas pour me faire sentir qu'on a travaillé comme des amateurs.

— C'est ce qu'ils font tout le temps.

Sans se démonter, Surprenant emprunta la Grande Allée en direction des remparts et appela Santerre. Ce dernier sortait du bar *Chez Raymond*. Steve, le serveur, s'était montré « à peine plus jasant que le castor ».

— Pas plus que ça ?

— J'ai l'impression qu'il est heureux de la tournure des événements, soit qu'il déteste Parent, soit qu'il espère reprendre le bar de sa patronne si elle se met dans le trouble. Il nous cache quelque chose.

L'Orignal avait tout de même glané quelques renseignements sur le premier amour de Diane. Pour l'essentiel, il reprenait les propos de Francine Duff: Faubert, itinérant, toxicomane, peut-être schizophrène, n'avait pas été vu à Sainte-Catherine depuis quinze ans. Les parents étaient décédés. Il restait un frère à Saint-Ubalde. Par ailleurs, le serveur n'avait aucune idée de l'endroit où Diane avait pu se planquer.

— Je me charge de Faubert, dit Surprenant. As-tu les relevés téléphoniques?

— Je les attends d'une minute à l'autre.

— Envoie-moi ça dès que tu pourras.

Il était plus de onze heures. Surprenant, mort de faim, tourna à gauche sur Cartier et se gara en face du *Café Krieghoff.* Il téléphona au poste et demanda Labonté.

— Fouille dans le système. Denis Faubert, à peu près cinquante ans, originaire de Sainte-Catherine. Ces dernières années, il devait traîner dans Saint-Roch.

Surprenant joignit illico Francine Duff, à laquelle il demanda de lui indiquer un témoin de la vie de Diane avant son exil à Charlesbourg.

— Vous pouvez toujours piquer une jasette avec André-Louis, lui répondit Francine. Pour faire mieux, invitez-le à dîner au *Dionysos.* Vous trouverez là sûrement un ou deux gars avec qui Diane a couché, sans compter les anciens colocs.

* * *

Diane était de retour. Il entendit un bruit de sacs, puis le claquement mat de la porte du réfrigérateur. Avait-elle fait des courses? La civilisation ne devait pas être si loin.

219

Deux jours après leur disparition, la police avait sûrement lancé un avis de recherche.

Des bruits de pas, puis le pop! caractéristique: l'heure de l'apéro avait été devancée en avant-midi. Elle apparut, un verre de vin à la main gauche. La droite tenait un couteau de chasse de plus de vingt centimètres. Elle éteignit la chaîne stéréo et s'assit en face de lui, une jambe repliée sous sa cuisse mince, le couteau déposé sur le bras du fauteuil.

Si c'était possible, son visage était plus dur que la veille.

— Je te remercie pour la musique. Ça m'a fait du bien.

La joue gauche de Diane se contracta, comme sous l'effet d'une névralgie.

— Ne le prends pas comme ça, plaida-t-il. J'essaie de détendre l'atmosphère.

— Il est temps d'en finir, Pierre.

— C'est aussi mon avis. Tu commets une erreur.

— Dis-moi la vérité. Tu as pris mon fils, tu as pris mon amour, tu as pris ma vie. Je te demande simplement, pour une fois, d'être honnête.

Le ton, posé, calme, évoquait une nouvelle résolution.

— Je t'ai déjà dit la vérité. Plusieurs fois.

— M'aimes-tu, Pierre?

Cette fois, la voix de Diane trahissait une certaine vulnérabilité. Peut-être avait-elle bu depuis le matin? Sur l'appuie-bras, le couteau était toujours pointé vers lui.

— Je t'aime et je veux vivre avec toi. Jusqu'à la fin de mes jours.

Elle le regardait intensément, les yeux brillants, comme si sa réponse était d'une importance capitale.

— Je ne te crois pas, soupira-t-elle avec dépit.

— Je...

— TU MENS!

Elle sauta sur ses pieds, comme mue par un ressort, et s'approcha de lui, le couteau pointé sur sa gorge.

— Tu as toujours menti et tu le sais ! J'ai fait l'idiote assez longtemps. Pourquoi m'as-tu fait ça ?

— Pose ce couteau.

— Je pourrais te saigner comme un cochon !

De près, ses yeux étaient effrayants. Il sentit la lame contre son cou.

— Tu fais une bêtise. Pour commencer, je n'ai pas tué Jonathan. Ensuite, tu ne peux rien me faire sans détruire ta propre vie. Tue-moi, coupe-moi en morceaux, enterre-moi vivant, tu ne pourras pas te cacher. En me blessant, tu te blesses toi-même.

— Je m'en fous !

Diane affichait toujours son air de défi. Elle glissa la lame dans l'encolure de sa chemise. Il sentit la pointe contre sa clavicule. D'un geste sec, elle déchira sa chemise, lui arrachant un cri.

— Ce couteau est aiguisé, Pierre.

Elle posa la lame sur son ventre et, délicatement, la promena de son flanc droit à son flanc gauche. Il ressentit une brûlure. Il pencha la tête, incrédule : le sang perlait d'une longue estafilade.

— Tu es folle ! Tu te fais du mal.

— Je me fais du mal ?

Elle répéta la question, plus fort, comme si elle voulait s'enivrer du son de sa propre voix. Elle se mit à tourner autour de lui en psalmodiant le mot « mal », de plus en plus fort, montant et descendant le long d'une gamme dissonante.

— Calme-toi, Diane.

Il ferma les yeux, contracta les épaules, s'attendant à tout instant à sentir la morsure de la lame sur son torse. Au bout de six ou sept girations, il devina au son que Diane s'était immobilisée en face de lui.

Il percevait sa respiration haletante. Il se força à regarder. Pupilles dilatées, muscles bandés, Diane était l'incarnation de la fureur.

— Tu ne sais pas ce que c'est que d'avoir mal, Pierre Parent !

Elle défit sa ceinture.

— Tu pues la pisse, docteur.

Le pantalon, les caleçons tombèrent sur ses chevilles. Elle recula, comme pour juger de l'effet. Elle prit une gorgée de vin. Elle avait le souffle court. Parent, terrifié, était sans voix.

— L'épée de Don Juan !

De ses doigts plutôt courts, forts, elle taquina ses testicules, rappel d'une de ses manœuvres favorites : elle s'assoyait à l'indienne entre ses jambes écartées et lentement l'amenait, par des gestes furtifs, indolents, à une érection insoutenable. Entre un homme et une femme, le pénis était toujours un tiers, presque un enfant, doté d'une autonomie mystérieuse.

— Diane !

— C'est dommage, ça marchait encore.

* * *

André-Louis Lanteigne, « comédien expérimental », selon l'expression de Francine Duff, était directeur administratif d'une compagnie de théâtre. Surprenant n'eut qu'à mentionner qu'il enquêtait sur la disparition de Diane Gagnon pour l'attirer au restaurant.

Situé au cœur de Saint-Jean-Baptiste, le restaurant était un bistro issu d'un croisement tripartite : îles grecques, cinéma américain de l'après-guerre, Paris existentialiste. Aucune des composantes n'était originale, mais leur amalgame, dans cette salle basse ouverte sur la rue

Saint-Jean, était mémorable. Surprenant, à une table à l'écart, tua le temps en sirotant une bière et en observant la clientèle. Quand André-Louis Lanteigne se présenta, une demi-heure plus tard, il avait eu le temps de se faire une idée du lieu. Îlot de résistance au milieu d'un quartier rongé par l'embourgeoisement, le *Dionysos* était un refuge d'habitués qui, par leur aspect chevelu et quelques effluves rive gauche, évoquaient les irréductibles Gaulois de Goscinny.

Lanteigne lui-même se matérialisa sous la forme d'un quinquagénaire légèrement bedonnant, légèrement chauve et massivement léger. L'œil aux aguets, il tendit une main molle à Surprenant et commanda un demi-litre de rouge, qu'il entreprit d'écluser en répondant avec une sincérité étudiée à ses questions. Entre le confit de canard aux groseilles et les ris de veau forestière, l'entretien fut moins utile par ce qu'il révéla que par ce qu'il occulta. Lanteigne était un pique-assiette de luxe, un stratège intelligent mais dépourvu d'envergure, mauvais comédien de surcroît. Quand il feignit d'être «bouleversé» par la disparition de Diane Gagnon, il ne parvint qu'à convaincre Surprenant de sa superficialité. Pour le reste, et notamment sur l'endroit où pouvait se cacher son ex-conjointe, il ne put livrer de piste, ou même ébaucher une hypothèse. Son univers semblait limité à ce périmètre familier du Vieux-Québec, de Saint-Jean-Baptiste et de Montcalm, dont il ne devait s'évader que par avion, quand il s'était dégagé quelque crédit auprès de ses créanciers. Que Diane Gagnon trouvât plaisir à aller se perdre dans le bois, à pêcher ou à tuer d'innocentes créatures expliquait en partie pourquoi leur union n'avait pas fonctionné: ils n'avaient pas les mêmes *valeurs*.

Au café, peut-être ému par ses profiteroles, il sembla vouloir aider Surprenant.

— Il y a deux choses que vous devez savoir au sujet de Diane. La première, c'est que c'est une comédienne. Elle aurait pu faire carrière. Elle était meilleure que moi, pour tout vous dire.

Il ponctua d'un silence théâtral cette gigantesque concession aux mérites de son ex.

— La deuxième ?

— C'est une maudite folle. Aujourd'hui, on dirait borderline.

André-Louis Lanteigne s'éclipsa sans payer l'addition.

22

Du sang sur les mains

Elle prit le pénis dans sa main, fermement, et approcha la lame. Malgré le froid, il sentait la sueur perler sur son front.

— Diane! Réfléchis un peu. Si tu me coupes ça, dans mon état actuel, je vais crever.

— Tu as juste à me dire la vérité.

— Veux-tu passer à l'histoire comme la femme qui a tranché la queue de son fiancé?

— On a vu pire que ça.

Elle déposa, à plat, le couteau sur son sexe.

— Tu es folle. Je n'ai rien fait.

— Tu as le choix.

Il s'écoula quelques secondes. Cette fois, le tranchant de la lame reposait sur la base de son pénis. Elle leva les yeux vers lui. Elle semblait résolue.

— Dernière chance.

Il se tut et ferma les yeux.

Au bout de quelques secondes, il sentit qu'elle lâchait son sexe. Il regarda: elle s'était relevée et paraissait plus calme.

— Tu as raison. Une femme qui coupe la queue de son fiancé, ça manque de classe.

Il n'osait parler, de peur de réveiller sa colère. Elle essuya la lame du couteau contre son chandail, comme si elle s'apprêtait à le ranger.

— De toute façon, ce qui t'importe vraiment, c'est ton visage, n'est-ce pas?

— Diane, voyons...

— Ce qui compte, c'est ce qui paraît.

De sa main gauche, elle agrippa ses cheveux. Il se débattit, lui donna un coup de pied, faible, sur le tibia.

— Tout doux! dit-elle en déposant la lame contre sa joue. Qu'est-ce que je dessine là-dessus? Une croix gammée? Un point d'exclamation, comme dans « danger »?

— Je t'ai dit la vérité!

— Je ne te crois pas. Dernière chance. Cette fois, c'est vrai.

Il se débattit encore. Elle le tenait d'une poigne de fer. Au bout d'une dizaine de secondes, il sentit une douleur, d'abord infime, puis plus vive, sur sa joue. Était-ce cela? La lame pénétrait sa peau.

* * *

Le vent avait viré au nord et forci. Elle courait. Son haleine se condensait au rythme haletant de sa respiration. Elle repéra l'entrée du sentier et s'engouffra entre les épinettes. Le jour se fit rare sous le couvert des arbres. Elle ralentit sa course. Elle connaissait ce sentier, mais elle pouvait chuter, se blesser, et personne ne viendrait la secourir. Elle gèlerait là, comme une vieille louve.

Elle déboucha soudainement dans la clairière. Devant elle, silencieux, bordé d'épinettes tordues, un petit lac fixait l'univers de sa prunelle noire. Des souvenirs de baignades remontèrent à sa mémoire. Elle s'approcha de la rive et s'accroupit, épuisée.

Elle lava ses mains tachées de sang dans l'eau glacée. Sa respiration ralentit. Elle se sentait exténuée. La rage, comme un fleuve en crue, avait emporté ses forces avec elle. Quand la lame avait entamé la joue de Pierre, quand le sang avait surgi, rouge, abondant, la colère s'était retirée d'elle, brusquement. Elle avait retenu la course de l'arme. Devant ses yeux, une coupure de quatre ou cinq centimètres, peu profonde, mais néanmoins béante, d'où coulait ce sang qui souillait ses mains gercées.

Pierre s'était raidi, avait hurlé, puis s'était tu.

Elle s'était vue, soudain, dans sa position ridicule, humiliante. Elle avait déposé le couteau sur le fauteuil, observé la blessure, ce trait sur sa joue gauche qui rappellerait pour toujours sa faute.

— Ce n'est rien, avait-elle dit. Ça va guérir.

Il se taisait toujours. Il respirait à grands coups, comme une bête traquée. Elle avait repris le couteau et l'avait fiché dans le mur, avec une force qui l'avait surprise.

Elle voulait planter une borne, marquer un arbre, tracer une ligne.

Et maintenant, quoi? Elle se sentait vide, sans espoir, sans ressort, sans projet. Comme l'eau de ce lac, cet étang de trente mètres de diamètre qui n'avait probablement pas de nom, elle était noire, opaque, comme la nuit.

Pierre n'avait pas cédé. Il y avait quelque chose qu'elle ne saisissait pas. Peut-être disait-il vrai?

Le tout n'avait plus d'importance. Son amour était mort en même temps que sa rage.

Le ciel s'anima au-dessus d'elle. Le lac frissonna. Elle sentit sur ses mains, sur ses joues, de fines morsures.

Elle leva la tête : il neigeait.

* * *

Le sang coagulait autour de l'entaille. Les gouttes ne venaient plus perler le long de sa mâchoire avant d'éclater à ses pieds sur le prélart.

Braves plaquettes. Merveilleux fibrinogène. En baissant la tête, il pouvait voir les plaies sur son torse. De quelle longueur, de quelle profondeur était celle de sa joue ? Il était marqué à jamais, comme un forçat. Si Diane l'épargnait, s'il reprenait un jour une vie normale, ses patients observeraient sa cicatrice à la dérobée, sans l'interroger sur cette balafre qui lui donnerait l'allure d'un corsaire à la retraite. Peut-être pourrait-il se laisser pousser la barbe ?

À deux mètres de lui, le couteau était fiché dans le mur.

Diane avait reculé au dernier instant. Le couteau lui rappelait, par contre, que sa colère n'était pas éteinte. Par quoi serait-elle remplacée ? Par une froide indifférence, assurément le pire des châtiments. Elle reviendrait, ferait des préparatifs pour retourner à Sainte-Catherine et l'enfermerait pour toujours dans le donjon de son mépris. À ce compte-là, la grâce était peut-être plus redoutable que le supplice.

Ses poignets le faisaient souffrir. Le reflux de l'épinéphrine le laissait plus épuisé qu'avant l'épisode du couteau. Il déplaça son poids d'un pied sur l'autre. Ses jambes allaient flancher.

La lumière de la chambre changea subtilement. Des flocons, gris sous la lune, virevoltaient derrière la fenêtre, bientôt remplacés par une vraie bordée. La première neige. Des pas lents, dehors, puis de nouveau le bruit de la porte qui claquait. Son pouls, déjà rapide, accéléra.

Il entendit le son d'une bûche qui tombe dans le poêle, le cliquetis du tisonnier contre les flancs d'acier. Allait-elle le marquer au fer rouge ? Au bout de cinq minutes, elle apparut avec une débarbouillette et un tube de crème.

Sans dire un mot, sans lever les yeux, elle lava ses plaies et les enduisit d'un onguent antibiotique. Il se laissait faire. L'attitude de Diane avait changé : elle semblait pâle et défaite, sans énergie, peut-être repentante après son agression.

— Lève ton pied.

Elle lui retira ses souliers, son pantalon et son caleçon, les jeta dans un coin de la chambre. Elle lui passa un caleçon et un pantalon secs.

— Merci, dit-il.

Elle alla chercher un verre d'eau à la cuisine.

— Tiens.

Elle évitait son regard. L'eau était délicieuse, mais il avait de la difficulté à avaler, comme si le mécanisme de la déglutition s'était déréglé.

— C'est fini, Pierre. Tu n'as rien à craindre. Tu peux me parler maintenant.

Elle le regarda cette fois. Dans ses yeux gris, il lut ce qu'il redoutait : une froide indifférence, un chagrin profond.

— Je t'ai dit tout ce qu'il y avait à dire. Je ne te mens pas. Tu es en train de tuer notre amour à cause d'une coïncidence.

— Je ne t'aime plus, Pierre. Tu devrais le comprendre. C'est terminé.

Il sentit ses forces se retirer de lui, comme si, au lieu de la joue, elle lui avait tranché la jugulaire.

— Diane !

— Tantôt, je voulais te libérer. Quand je suis devant toi, je m'aperçois que j'ai quand même besoin de savoir. Je vais te détacher et te changer de chambre. J'aurai la carabine. Si tu fais un geste de travers, je te tire dans un genou.

— Diane !

— Il n'y a plus de Diane.

— Je ne sais pas si je peux marcher.

— Rampe.

23

Dialogue avec l'Algonquin

Nonobstant son appartenance aux Atome B de Beauport, William, l'aîné de Geneviève, exprimait depuis quelques mois un intérêt pour la guitare. Son anniversaire coïncidant avec l'Halloween, Surprenant discutait des mérites respectifs des modèles classiques et westerns avec un vendeur, dans un magasin de la rue Saint-Jean, lorsqu'il reçut un appel de Labonté : selon ses informations, le Denis Faubert qui pouvait les intéresser était né le 3 juin 1955 et résidait au 457, rue de la Reine. Le dossier faisait état de divers petits délits, trafic de marijuana, vagabondage, ivresse publique, coups et blessures.

Surprenant s'excusa auprès du vendeur et, s'arrachant à l'univers odorant des guitares, des violons et des contrebasses, marcha à grandes enjambées jusqu'à son véhicule. Par les rues Saint-Jean et Saint-Augustin, il gagna la côte d'Abraham qui drainait, sabord monumental, la haute-ville vers le quartier Saint-Roch. Au bas du cap, enserré entre des bretelles d'autoroute, la rivière Saint-Charles et le boulevard Langelier, s'étendait l'ancien cœur de la ville, devenu depuis les années 1990 un laboratoire d'urbanisme. Implantation d'écoles universitaires, de cyberentreprises, de boutiques de luxe, d'ateliers d'artistes : dans ce labyrinthe de ruelles dont les noms, du Roi, de la Reine, de la Couronne, Saint-Joseph, Saint-François, évoquaient le double joug britannique et catholique, les souris étaient les pauvres, chômeurs, robineux, désinstitutionnalisés, toxicomanes, expulsés de leur cocon par la hausse des loyers. Pour l'instant, certains s'agrippaient tant bien que mal, attendant de voir si la greffe allait prendre. D'autres avaient migré vers Saint-Sauveur et Limoilou.

La rue de la Reine, entre de la Chapelle et du Parvis, était bordée de deux rangées de triplex, frileusement soudés les uns aux autres, comme si la démolition d'un seul d'entre eux les eût transformés en tas de gravats. Surprenant sonna au 457 avec un sentiment de déjà-vu : il avait visité la maison de chambres à deux reprises lors de son passage à la police municipale. Le propriétaire, un souteneur dont les liens avec les Hells étaient un secret de Polichinelle, résistait à la tentation de vendre à un promoteur. L'exploitation de ses résidants, pauvres diables accrochés à divers poisons, participait au maintien de l'écosystème du secteur. Ces déshérités faisaient de merveilleux locataires. Leur chèque d'aide sociale passait directement du gouvernement au crime organisé, via le loyer ou l'achat de drogues. Les plus fiables exécutaient des petits boulots de transmission ou de surveillance. Enfin, si leur état physique ou mental se détériorait, ils étaient aussitôt pris en charge par les services sociaux.

Une marche de ciment craquelé donnait accès à une porte d'acier embossé sur laquelle étaient apposés des autocollants 4, 5 et 7 dorés. Au deuxième coup de sonnette, la porte fut entrebâillée et une tête d'homme hirsute s'exclama :

— Tabouère ! Un beu !

— Je cherche Denis Faubert.

— Y'est plus icitte !

Son soulier droit bloquant le battant, Surprenant poussa fermement. Le détenteur de la tête, qui ne devait guère peser plus de cinquante kilos, offrit peu de résistance. Surprenant pénétra dans un couloir sombre, donnant sur un escalier aux marches fatiguées et quatre chambrettes. Il vit bientôt se pointer, armé d'un balai, celui à qui il voulait parler : le gardien-nounou, qui veillait autant au maintien de la paix qu'au ménage et à la distribution des médicaments. Surprenant se souvenait du personnage : ce taupin tatoué, grognon, aux bacchantes homériques et au cœur aussi gros que les biceps, lui avait déjà refilé un tuyau lors d'une enquête sur un réseau de voleurs de métaux.

— Salut, Conrad.

— Vous êtes rendu dans la SQ ?

— On dirait. Je cherche un nommé Faubert.

— Denis ? Comment dire ? Il était dehors depuis juillet. Là, j'ai entendu dire qu'il était en dedans.

— En prison ?

— À Robert-Giffard. Il n'a pas fait de niaiseries, au moins ?

Surprenant roulait sur le chemin de la Canardière en direction de l'hôpital psychiatrique lorsqu'il reçut un appel de Santerre.

— J'ai fini d'éplucher les relevés. Il y a peut-être quelque chose à propos du toxico. Le vendredi 21, en après-midi, Diane a appelé la maison d'hébergement de Lauberivière, six minutes, puis Robert-Giffard, vingt minutes.

— Ça adonne bien, je m'en vais là. Autre chose ?

— Le père de Diane nous a fourni une liste des lieux qu'elle a déjà fréquentés dans le Nord. Ça va du parc de la

Jacques-Cartier à Chibougamau. Des équipes locales ont commencé à vérifier, tout ça sans savoir s'ils ne sont pas en train de baiser dans un motel à Saint-Glinglin.

— Ça me surprendrait.

— Bachand nous attend au poste à dix-sept heures avec le sergent du BEC. Attends de le voir celui-là. Il se prend pour James Bond !

Surprenant raccrocha en pensant que l'action exerçait sur Santerre un effet salutaire. Cinq minutes plus tard, il enfilait à sa gauche l'allée qui menait, au bout d'un parc d'érables, de chênes et de faux-trembles, au pavillon central du Centre hospitalier Robert-Giffard.

Dans la lumière automnale, le bâtiment principal, long, gris, austère, de sept étages, était percé de fenêtres dont la multitude évoquait la lointaine époque où y étaient soignés des milliers de malheureux. Les murs en pierres de taille remplissaient à merveille leur mission : séparer le dedans du dehors, la folie de la raison. Surprenant gravit les marches qui menaient aux portes de chêne en songeant que le destin ne manquait pas d'ironie : pour délivrer Pierre Parent, il pénétrait dans l'hôpital où sa mère, préposée aux malades, avait peiné pendant des décennies.

Une réceptionniste lui confirma que Denis Faubert était hospitalisé. Il parlementa au téléphone avec une infirmière qui accepta de le recevoir à l'unité, en lui précisant qu'il devrait rencontrer le psychiatre traitant avant de questionner l'usager. On lui remit un plan de l'établissement. Il marcha près de cinq cents mètres en méditant sur ce fait troublant : dans ces murs, la justice n'était plus toute-puissante mais devait composer avec la médecine. Il monta au quatrième étage d'un pavillon situé à l'arrière du complexe, et fut présenté au Dr Nathalie Guillet, une jeune rousse menue, élégante, dont les yeux pers possédaient le rare don d'être à la fois rieurs et inquisiteurs.

Faubert étant, selon sa description, manipulateur et paranoïde, elle voulut connaître le contexte exact de sa visite. Surprenant lui résuma l'affaire en quelques phrases.

— Denis ne m'a jamais parlé de cette Diane. Par contre, quand il est fâché, il répète qu'il va retourner dans le bois. C'est un thème récurrent.

— Le bois… Il ne précise pas où, par hasard?

— Notre Denis est plutôt secret, voyez-vous.

Le médecin brossa un tableau succinct du parcours de Faubert. Peu de choses avant l'âge de vingt-huit ans, sinon une commotion cérébrale et la consommation de cannabis, qui ne s'était jamais démentie. Par la suite, il avait lentement dérivé vers une vie marginale : plus de relations ou de travail suivis, une existence stérile, retirée, au centre-ville de Québec, ponctuée d'accès psychotiques et hantée par deux rêves irréalistes. Un, il irait vivre dans le bois. Deux, il écrirait un grand roman, intitulé *Galaxies*, dont il traînait des extraits dans les poches de son habit de Davy Crockett.

— Davy Crockett?

Le Dr Guillet sourit, ce qui permit à Surprenant de remarquer qu'elle portait, comme une adolescente, des broches orthodontiques.

— Denis a une sorte d'habit d'Indien. Davy Crockett, c'est son surnom dans l'hôpital. Quand il se promène déguisé en trappeur, c'est signe qu'il n'est pas vraiment bien. Il est persuadé qu'il a du sang algonquin. Remarquez que c'est possible. Malheureusement, il nous perçoit comme des ennemis et vit sous un mode de résistance. À part ça, il est vraiment fin.

— Il reçoit des visiteurs?

— Il a un frère dans Portneuf.

— Autrement?

— Vous parlez de cette Diane ? On ne l'a jamais vue ici.
Ne vous montrez pas sur l'unité, on va demander à Denis
de vous rencontrer ici. Je vous avertis : il n'est pas dans un
bon jour.

La psychiatre laissa Surprenant dans la salle d'entrevue.
Il se leva pour se dégourdir les jambes. Le cubicule était
situé dans une tour d'angle, percée de hautes fenêtres.
Il avait commencé à pleuvoir. En contrebas, il aperçut
un petit cimetière semé de pierres blanches, toutes iden-
tiques, que Santerre aurait sans doute comparées à des
tombes de soldats morts à l'étranger. Denis Faubert fit
son entrée. Le crâne dégarni, il arborait une couronne
de cheveux longs, droits, frais lavés, qui lui aurait conféré,
n'eût été de sa veste à franges, l'allure d'un apôtre. Le
visage était empâté, l'abdomen, protubérant, les mains,
fines et agitées d'un tremblement.

L'entretien qui s'ensuivit demeurerait pour Surprenant
l'un des plus frustrants de sa carrière. Sans faire preuve
d'agressivité, Davy Crockett refusa de répondre à ses questions, sinon par des monosyllabes, des «J'sais-tu, moi ? »
prononcés d'une voix égale, monocorde, pendant qu'il
roulait, assis en gourou sur le fauteuil de vinyle, des cigarettes qu'il cordait méticuleusement sur le bord du bureau.

— Monsieur Faubert, je suis officier de police, j'enquête sur une double disparition et je vous ordonne de
me répondre !

Faubert leva sur lui deux yeux jaunes, fixes, indéfinissa-
bles. Il était à la fois présent et absent, obtus et intelligent.
Que ce fût à cause de son délire ou d'une authentique solidarité avec Diane, l'Algonquin ne parlerait pas à ce policier blanc.

Réprimant un accès de colère, Surprenant le congé-
dia. La folie avait ceci de merveilleux ou de terrible : elle
soustrayait ses victimes à la peur et au bon sens. Dans

quelques jours, dans quelques semaines, Denis Faubert, revenu parmi ses contemporains, consentirait peut-être à le renseigner sur le lieu où Diane se terrait. Pour l'instant, il était réfugié dans sa propre forêt.

Il pénétra dans la salle vitrée où s'affairait le personnel. Nathalie Guillet le fixait d'un air interrogateur.

— Je n'ai rien pu en tirer, résuma Surprenant.

— Dans quelques jours, peut-être…

Un tableau, au-dessus des dossiers, portait, écrit au stylo-feutre :

PERSONNE NE PEUT VOUS PROCURER LE BIEN-ÊTRE
SI VOUS NE L'AVEZ PAS DÉJÀ EN VOUS.
Sandro Veronesi

— Si j'étais schizophrène, je trouverais ça angoissant en petit péché, déclara Surprenant.

— Ma théorie avec les psychotiques, c'est qu'il faut les responsabiliser. Par ailleurs, vous avez raison : ces citations sont pour nous. Dans la salle, ça pourrait perturber les patients.

— Vous croyez vraiment que dans quelques jours… ?

La psychiatre haussa les épaules.

— Il y a toujours les petits papiers, suggéra un jeune homme.

Avec sa barbiche et ses cheveux mi-longs, l'intrus, qui semblait être un infirmier, ressemblait assez au portrait de Champlain qui ornait les bouteilles de porter que buvaient les habitués de la taverne d'Iberville en 1971.

— Xavier, présenta le Dr Guillet. C'est lui qui est en charge des citations. Il s'occupe aussi des petits papiers de Denis.

L'infirmier expliqua que Faubert cachait des fragments de son grand roman dans ses vêtements et dans sa chambre. Cela entraînait divers désagréments. S'il les égarait, il soutenait qu'il avait été volé, ce qui provoquait des disputes. Il les faisait parfois brûler, pour se chauffer, éloigner les loups, ou encore, malheureusement, parce qu'il était insatisfait de son travail. Faubert y notait aussi des numéros de téléphone, les coordonnées de son avocat, transcrivait des messages, des souvenirs. Quand il était en mutisme, les petits papiers constituaient son principal moyen de communication.

— Je les garde tous, enfin ceux qui sont lisibles, ajouta Xavier. Nous les lui remettons quand il est prêt à partir.

— C'est confidentiel, évidemment, dit la psychiatre. Dans les circonstances, ce ne serait pas une grosse entorse au règlement que de vous laisser les examiner. Mais n'allez jamais dire ça à l'administration !

Pendant près d'une heure, Surprenant classa la correspondance éclatée de Davy Crockett. Parmi les poèmes, les fragments de prose dans lesquels sévissaient des personnages archétypaux tels que Ulysse, le Colonel et Big Mamma, les réquisitoires contre le système de santé et plus précisément la « docteure Guillotine », dessinée dans son plus simple appareil, il découvrit une trentaine de bouts de papier qui pouvaient contenir des informations chiffrées, voire des noms de lieux et des allusions à la chasse et à la forêt. Avec l'aide de Champlain, il photocopia le tout, lui abandonnant les originaux, et quitta l'hôpital avec sa liasse de messages codés.

24

Loquets

Adossé à une tête de lit brinquebalante, il dévorait son omelette au fromage et cherchait le piège.

— Tu ne trouves pas que la blague a assez duré ? Ton père doit être mort d'inquiétude.

Diane ne répondit pas. Depuis qu'elle l'avait libéré de ses menottes, elle n'avait prononcé que quelques ordres brefs. Assise sur une chaise droite à trois mètres de distance, sa carabine sur les cuisses, elle l'observait, placide, froide, attentive. Après l'agression au couteau, ce calme, conjugué à la neige qui tombait toujours derrière la fenêtre, avait quelque chose d'angoissant.

Le manège durait depuis près de deux heures.

— Je peux avoir encore de l'eau ?

Toujours muette, elle quitta la pièce. Du doigt, il vérifia le jeu de la chaîne qui lui liait les chevilles. Longue de trente centimètres, fixée au-dessus des malléoles par deux cadenas, elle lui permettrait, au mieux, de marcher à petits pas. Elle gardait les clefs dans ses poches. Celles du Pathfinder devaient être quelque part dans le chalet. Il avait beau retourner le problème dans tous les sens, il ne pourrait s'échapper qu'en mettant

Diane hors de combat. Cela pouvait durer des jours, des semaines.

Elle revint et, la 22 toujours pointée vers lui, déposa un verre de jus d'orange sur le plancher, au pied du lit.

— Merci.

Être poli. Boire, refaire ses forces. Au moins, il n'avait plus à se préoccuper de sa survie immédiate, et elle ne semblait pas avoir l'intention de le taillader une autre fois.

— Je voudrais aller aux toilettes.

Elle le suivit à deux mètres de distance tandis qu'il traversait la cuisine et se rendait à la salle de bains. Le chalet était simplement aménagé, quelques divans, une table, un poêle, un frigo et une cuisinière au gaz, dans un grand séjour ouvert sur une clairière, une forêt d'épinettes noires, et, une centaine de mètres plus loin, un petit lac. À qui appartenait-il? Où était-il situé? Diane ne semblait pas redouter l'arrivée d'un propriétaire ou d'un voisin. Aucune trace de civilisation aux environs. Ce chemin de terre, tout de même, menait quelque part.

Il examina son visage dans le miroir de la salle de bains. Sa lacération, couverte d'une croûte neuve, partait de la pommette et courait sur six centimètres vers la mâchoire. Aucune barbe ne masquerait cette cicatrice qui, sans plastie, guérirait d'une façon non optimale. Il était furieux, mais toujours à la merci de Diane. Mieux valait endurer. Ce matin-là, les choses auraient pu tourner encore plus mal.

Au retour, elle lui intima de la tête l'ordre de s'allonger sur le dos. Elle détacha la chaîne de sa cheville gauche, la passa dans l'armature du sommier, puis entre les barreaux du pied de lit en fer forgé. Il se trouvait enchaîné à ce lit d'un autre âge, qu'un propriétaire original avait pris la peine de traîner dans ce chalet perdu. Il pouvait reposer, la tête soutenue par des oreillers qui dégageaient une odeur d'humidité. Allongé sur le dos, il regarda le plafond, d'un blanc sale, sur lequel une infiltration d'eau avait laissé des taches jaunâtres.

— Ne cherche pas de micros ou de caméras. Il n'y en a pas. J'ai renoncé à t'amener devant la justice.

Il se taisait, surpris par cette ouverture.

— Je sais que tu l'as fait. Je ne suis pas certaine d'exagérer en te disant que je l'ai perçu le premier soir où tu es entré dans le bar et que tu as commandé une Bleue. Ce qui est certain, c'est que toi, tu savais. Tu avais beau jouer ton rôle, ça coloriait ton regard, ta voix, tout ce qui n'est pas verbalisé entre deux personnes.

— Tu délires. Tu es en train de reconstruire notre passé pour l'adapter à ce que tu crois être la vérité.

— Tu oublies la clef.

— Quelle clef?

— Celle que tu ne m'as jamais donnée.

La mémoire lui revint : le soir de la Saint-Valentin, au restaurant, alors qu'il s'apprêtait à lui offrir un coûteux collier en or, elle lui avait remis une petite clef Weiser, toute simple, ornée de fleurs, qui lui permettait d'entrer, quand il le voulait, dans sa maison de Sainte-Catherine.

Assise au pied du lit de fer, dans la lumière grise du décours de l'automne, elle avait suivi sa pensée.

— Oh, tu m'as bien donné la clef de ton chalet du lac Sept-Îles. Ton appartement de Québec, ta maison des masques ? J'attends toujours. Enfin, j'attendais…

— Tu as toujours été la bienvenue sur l'avenue Moncton ! Tu es restée à coucher plusieurs fois.

— J'étais en visite. Je me fous de la clef, je te parle du symbole. Je n'avais pas complètement accès à toi.

— Ça va faire, Diane ! Je t'ai offert ma vie ! Je t'ai demandé de m'épouser !

— Tu ne m'as pas offert ta vie ! Tu as pris la mienne pour te donner bonne conscience, espèce d'égoïste !

Il se recroquevilla sous l'assaut. Qu'est-ce qui lui passait par la tête ? Il ne devait pas la provoquer. Elle pouvait à tout instant changer d'idée, lui fracasser le crâne à coups de tisonnier, lui couper les testicules et les lancer aux corbeaux et aux ratons laveurs.

Diane avait repris son calme.

— Tu ne m'as pas fait confiance, reprit-elle d'une voix soudainement détachée. Tu ne fais confiance à personne.

Il ferma les yeux.

— Je ne suis pas idiote, tu sais. Je sais comment tu es bâti.

— Non, tu ne sais pas.

L'espace d'un instant, il revit la bibliothèque du Petit Séminaire, ces bureaux de chêne sombre alignés côte à côte, ces crucifix, ces bustes de Platon et de Cicéron, ces rangées de livres aux tranches dorées, ces prêtres qui le surveillaient, de même que la centaine de garçons qui passaient leurs examens d'entrée au cours classique. C'était un samedi matin de mai. Sa mère avait pris congé de l'hôpital pour l'accompagner, en autobus. Il aurait préféré être seul au lieu de sentir, à ses côtés, ce grand corps blanc, parfumé, moulé dans cette robe fleurie qui révélait ses genoux et ses jambes gainés de nylon. Il aurait préféré ne pas entendre, pour la dixième fois :

— Tu verras, ce n'est rien. Tu vas passer, haut la main.

Il n'avait pas honte de sa mère. Ce corps, et ce parfum si puissant, si troublant qu'il avait l'impression qu'il emplissait l'autobus qui se traînait le long du chemin de la Canardière, il les avait connus trop longtemps et de trop près. Son père savait-il qu'elle venait se réfugier auprès de lui la nuit, secouée de pleurs, envahie par l'angoisse ? Quand il était petit, elle pouvait toujours dire qu'il avait fait un cauchemar. Mais il allait sur ses douze ans.

Haut la main. Il avait été accepté au Séminaire, un an plus jeune que les autres, après avoir sauté sa septième année. En septembre, à la rentrée, il avait acheté à la quincaillerie un loquet qu'il avait posé lui-même, adroitement, avec le tournevis de son père, sur la porte de sa chambre.

— Comme ça, je pourrai étudier en paix !

Il le poussait le soir, pour potasser ses équations et ses déclinaisons, mais aussi la nuit. Il ne savait pas encore qu'il était dépossédé de lui-même. Cela, il l'avait senti plus tard, beaucoup trop tard, quand la perspective de quitter son personnage l'avait empli d'une terreur si puissante qu'il avait préféré la fuir.

— Qu'est-ce que tu veux dire ? demanda Diane.

— Rien.

Il reculait. Parler de sa mère et du loquet ne servirait à rien, il aurait simplement l'air d'un pauvre type.

Diane reprit la parole. Après cette amorce de dialogue, elle semblait décidée à clarifier leur nouvelle situation.

— J'ai compris, Pierre. Tu as tué Jonathan accidentellement. Tu as enlevé puis remis le corps. Ensuite, pour te racheter, tu as voulu me rendre heureuse. Sans me dire la vérité, naturellement.

Le silence qui s'installa, troublé par le froissement des branches d'épinettes sous le vent, la rumeur incertaine de la forêt enneigée, pouvait être interprété comme un aveu. Parent secoua la tête.

— Tu te trompes. Je n'ai pas tué Jonathan.

Elle posa sa main sur sa jambe, dans un geste d'apaisement.

— Explique-moi, c'est tout ce que je te demande.

— En ce qui concerne Jonathan, ma seule erreur a été de ne pas te parler tout de suite. J'aurais dû te dire, six mois après notre rencontre, que je pouvais théoriquement être le chauffard. J'avais un alibi. La police avait inspecté mon véhicule. Je suis innocent, mais le doute…

« J'ai hésité. Un jour, trois jours, une semaine… Quand on hésite, il se crée une forme de vide, de sensation désagréable, qu'on nie ou qu'on fuit. J'ai malgré tout continué à hésiter, jusqu'au moment où j'ai conclu qu'il ne servait à rien de remuer les cendres. Surprenant venait bien faire son tour à Sainte-Catherine, de temps en temps, mais l'enquête était terminée. Tu te remettais de tes traitements. Nous commencions à être heureux. Je me suis tu. C'était une forme de lâcheté. On n'a jamais envie de révéler sa lâcheté. »

Diane se taisait. Son expression avait changé. Ses yeux, toujours sceptiques, exprimaient une certaine douceur.

— Tu fais semblant de ne pas comprendre, Pierre. Je sais que tu l'as fait. Je sais aussi pourquoi tu m'as menti. J'ai fait ma crise tantôt. Je t'ai marqué pour le restant de tes jours, comme un animal. Je t'ai aimé. Ça fait partie du passé, comme Jonathan. Je n'ai pas l'intention de ruiner ma vie à cause de toi.

— Alors, libère-moi.

— Tu ne serais pas libéré. Moi non plus d'ailleurs. Il faut que la vérité soit dite. Je te propose un marché très simple. Tu me parles, et on repart, chacun de son côté, ni vu ni connu. Pas de plainte, pas de poursuite. Ça pourrait être, de ta part, un premier et un dernier geste de confiance.

Pierre Parent ferma les yeux et secoua la tête, découragé. Diane se leva calmement et quitta la chambre, sa carabine toujours à la main.

* * *

Les minutes s'écoulèrent, découpées par le bruissement régulier des pages que tournait Diane dans la salle de séjour. La bonne odeur du feu de bois emplissait le chalet. Le vent était tombé. La neige avait cessé. De temps à autre, il percevait le claquement mat des gouttes qui s'écrasaient sur les feuilles mortes.

… je l'ai perçu le premier soir où tu es entré dans le bar et que tu as commandé une Bleue.

Avait-elle lancé une boutade ? Était-ce plutôt un piège ?

— Diane !

Il n'avait pas réfléchi avant de l'appeler. C'était venu de sa gorge, tout seul. Elle s'amena, l'index toujours fiché dans son roman, belle avec ses cheveux en désordre, son pantalon d'entraînement en coton ouaté et sa chemise à carreaux. Il lui avait toujours envié sa capacité de s'abstraire du réel, par les livres, par la nature, par le retrait de ce qu'elle appelait la « course aux honneurs ».

Lui était toujours dans l'arène.

— Quoi ?

— Viens t'asseoir, veux-tu ?

Elle posa ses fesses maigres sur la chaise. Il se releva un peu sur ses oreillers, faisant tinter ses chaînes.

— C'est vrai ce que tu m'as dit tantôt ? *Je ne suis pas certaine d'exagérer en te disant que je l'ai perçu le premier soir où tu es entré dans le bar et as commandé une Bleue.*

— Wow ! Tu as de la mémoire.

— Un docteur, c'est un pauvre diable avec beaucoup de mémoire.

Le trait allégea un peu l'atmosphère.

— Comprends-moi bien : je n'ai pas tué Jonathan. Ce qui me surprend, c'est que tu me dises que tu crois *l'avoir toujours su* ! Qu'est-ce que tu faisais avec moi, si tu savais, prétendument, que j'avais happé ton fils sur le bord d'une route, un samedi soir ?

Diane poussa un soupir, posa son livre par terre.

— Tu passais au bar le jeudi soir, quand tu avais fini ta semaine à l'hôpital. Dans ma tête, tu es devenu

245

l'homme du jeudi. Il y avait entre nous une attirance, mais aussi une tension, que je ne comprenais pas. Plus je m'approchais, plus je percevais le malaise, qui se mêlait à un bonheur vrai. Le chauffard qui avait tué mon fils avait pris la peine de me rapporter son corps. C'était une première communication, une première demande de pardon. Sans l'exprimer, j'ai espéré, par désir de justice ou de vengeance, que le chauffard communique de nouveau avec moi. Pendant ce temps, l'homme du jeudi me faisait la cour, m'intégrait dans sa vie. Je m'étais mise à l'aimer, fascinée par ce mystère qui m'échappait. Je t'ai dit que j'avais toujours su. Peut-être que je l'ai imaginé. Ce qui est sûr, c'est qu'il y a toujours eu quelqu'un entre toi et moi. Et ce quelqu'un, c'était Jonathan.

— J'accepte ton marché.

— Ah oui?

— Je réponds à toutes tes questions et nous partons chacun de son côté, ni vu ni connu, selon ton expression. Mais j'ai deux conditions.

— Tu n'es pas dans une position pour poser des conditions.

— Tu as parlé de confiance, tantôt. Ça marche des deux côtés.

— Vas-y toujours.

— Tu me détaches et nous donnons signe de vie à nos familles. Nous n'avons pas à leur imposer ça.

— Comment?

— Le téléphone. C'est la façon la plus simple de prouver que nous sommes tous les deux vivants.

Diane le considéra avec méfiance avant de quitter de nouveau la pièce. Il l'entendit marcher de long en large dans le séjour. Elle revint au bout de cinq minutes. Curieusement fébrile, elle sortit ses clefs.

— Marché conclu, mais c'est moi qui passe l'appel.

Il acquiesça. Elle ouvrit les cadenas qui fixaient la chaîne et balança la quincaillerie dans un coin de la pièce.

— Tu veux du café ? On a de la route à faire.

25

Le harfang

Surprenant se pointa dans le bureau de Bachand avec cinq minutes de retard. À droite de Santerre, un sergent, raide sur sa chaise, mâchonnait un crayon à mine.

— Pierre-Antoine Groulx, des enquêtes criminelles, dit Bachand.

Yeux de braise, sourcils abondants, sourire hautain, l'émissaire du BEC ressemblait effectivement à un Sean Connery bas de gamme.

— Personne du SPVQ? s'étonna Surprenant.

— Ces messieurs nous ont abandonné l'enquête, dit Bachand sur un ton qui laissait entendre que les négociations avaient été désagréables. Après tout, Parent a été vu la dernière fois au lac Sept-Îles, sur notre territoire.

— Pour gagner du temps, intervint Groulx d'une voix assurée, nous allons nous concentrer sur ce qui sort du domaine de la disparition *ordinaire*.

L'adjectif laissait entendre que l'évaporation des humains suscitait chez lui aussi peu de surprise que la chute d'un corps ou le retour de l'automne. Devant les trois locaux, il disséqua les éléments qui l'amenaient à considérer l'affaire comme un enlèvement qui possédait l'étrange caractéristique d'avoir été à la fois planifié et improvisé. Diane Gagnon avait amassé de l'argent liquide, avait tenté d'effacer, plutôt naïvement selon les techniciens, ses courriels et l'historique de son fureteur, avait éveillé les soupçons de son entourage au cours des derniers jours.

— Plus précisément, résuma Groulx, elle a agi d'une façon suspecte à partir de samedi après-midi. Le serveur de son bar l'a trouvée bouleversée, peut-être malade. Elle est partie en auto en direction sud, probablement vers Québec. Elle n'a pas travaillé samedi soir. Elle a passé quelques coups de téléphone, dont l'un au Centre hospitalier Robert-Giffard.

— Les nouvelles circulent vite, ironisa Surprenant à l'intention de l'Orignal. Vous parlez aussi d'éléments qui dénotent une certaine improvisation?

— Tu les connais comme nous, André, intervint Bachand. Pour commencer, il y a l'état des lieux au chalet du lac Sept-Îles. Tout a été laissé en plan, la cuisine en désordre, les traces de toboggan sur le plancher, le téléphone abandonné dans la Golf, les portes verrouillées. Diane Gagnon a agi sur un coup de tête, possiblement à cause de cette lettre, si l'employée des Postes est fiable, évidemment. À ce propos, nous avons vérifié. Diane avait effectivement l'habitude de prendre son courrier le samedi, avant d'aller faire sa comptabilité au bar.

— Elle a quand même planifié la façon dont elle s'y prendrait pour embarquer Parent dans le Pathfinder, dit Santerre. Le toboggan, le madrier, fallait y penser.

— Rien n'est prouvé à ce sujet, objecta Groulx, pas même le fait que Parent ait été drogué ou assommé. On a envoyé les verres pour analyse, mais ça va prendre du temps.

Les minutes suivantes permirent de faire le point sur les recherches. L'enquête de proximité, les signalements, les battues, les recherches par hélicoptère n'avaient fait que confirmer les premières impressions des enquêteurs : les disparus avaient quitté le lac Sept-Îles en douce le dimanche soir. Elle avait fait des préparatifs, lui, aucuns. D'après ce que chacun savait de la personnalité de Diane Gagnon et la nature de ses dispositions, il y avait fort à parier qu'elle avait fait ce que tout le monde soupçonnait : elle avait enlevé Parent et était partie dans le bois, quelque part, dans l'un des innombrables camps de chasse abandonnés pour l'hiver.

— Vous paraissez bien calme, dit Santerre à l'intention de Groulx. Elle a peut-être perdu la carte. Elle peut le tuer, se suicider ensuite...

— Il est rare qu'une femme en arrive à ce genre d'extrêmes. Habituellement, elles se vengent de façon plus stratégique.

Groulx se tourna vers Surprenant et le fixa d'une façon qui laissait entendre qu'il était au courant de ses anciens démêlés avec ses supérieurs.

— J'aimerais maintenant savoir ce que vous avez découvert aujourd'hui. Vous vous êtes promené en ville, si j'ai bien compris.

Surprenant fit un compte rendu de sa visite à l'appartement de Parent et de ses entretiens avec Francine Duff, Hélène Damphousse, André-Louis Lanteigne et, enfin, Denis Faubert. Groulx prenait des notes, le visage fermé. À la fin, il se massa les tempes d'un air excédé.

— Les vieilles photos, la chum de fille, l'ex de l'un, les deux ex de l'autre... Vous allez où, comme ça, Surprenant ?

— Une piste, c'est toujours relié à un passé. Je pars de l'hypothèse que Diane s'est réfugiée dans un endroit qu'elle connaît. Deux personnes l'ont initiée à la chasse et à la pêche : son père et son premier chum, Denis Faubert. Le père ne sait rien. Faubert a le cerveau en compote.

251

Bachand se tourna vers Santerre.

— Le frère de Faubert, à Saint-Ubalde?

— D'après ses voisins, il serait quelque part au Mexique.

— Une adresse de courriel? insista Surprenant.

— J'y verrai demain, répondit Santerre. En attendant, j'ai quelque chose d'intéressant à propos de la situation financière de Diane. En jasant avec Steve, avec le directeur de la banque et en examinant sa comptabilité, j'arrive à la conclusion que *Chez Raymond* n'est pas une affaire très rentable.

— Intéressant, fit Bachand.

— Pour parler franc, Diane Gagnon est maintenue en vie par deux marges de crédit. Son père a dû l'endosser quand elle a acheté. Elle a fait des rénovations, tenté de mettre l'endroit au goût du jour. L'an dernier, elle a dû engager du personnel pour la remplacer à la suite de ses traitements.

— Ce qui pourrait expliquer, supputa Groulx, le comportement bizarre de madame si elle a appris samedi que son fiancé, selon votre théorie, était l'homme qui avait accidentellement tué son fils. Au lieu de l'étriper, de rompre, de le dénoncer à la police, elle se tait. Pourquoi?

— Pour Diane, ces questions d'argent sont tout à fait secondaires, dit Surprenant. Samedi, elle a été sonnée. Elle a pris le temps de réfléchir. Sa réplique est venue le lendemain.

— D'après ce que nous savons du tempérament de Mme Gagnon, objecta Groulx, elle n'est pas du genre à réfléchir longtemps avant d'agir.

Bachand leva les bras en signe d'apaisement.

— Ne perdons pas de vue l'essentiel. Elle n'a pas d'antécédents judiciaires. Elle ne souffre pas de maladie mentale. Elle ne consomme pas. Elle va revenir sur terre et relâcher Parent, si tant est qu'elle le tienne en otage.

— Ça fait déjà deux jours, observa Santerre.

— Le gars est plein aux as, dit Bachand. *Money talks!* Quand elle réfléchira, elle comprendra qu'elle serait bien folle de tuer la poule aux œufs d'or. Sans compter qu'elle peut le saigner à blanc si elle divorce au bout d'une couple d'années.

Surprenant s'apprêtait à protester lorsque son portable sonna.

— Diane vient de m'appeler, l'informa Steve Nantel d'une voix neutre.

— Elle est où ?

— Figurez-vous qu'elle n'a pas voulu me le dire. Le téléphone affichait *private caller.*

— Quels ont été ses mots ? Soyez précis.

— Elle m'a dit : « Je t'appelle pour te dire que Pierre et moi sommes en sécurité et que nous nous portons très bien tous les deux. » Ensuite, elle m'a passé Parent. Il m'a dit : « Nous allons rentrer à Québec très bientôt. » Elle a repris l'appareil et m'a demandé de vous avertir personnellement.

— C'est tout ?

— *Drette* comme je vous dis, sergent.

Surprenant se demanda si l'adjectif, fort signifiant dans sa forme vernaculaire, pouvait s'appliquer à Nantel.

— Vous êtes sûr qu'il s'agissait de Parent ?

— La ligne était claire et je connais le bonhomme.

— Une idée pourquoi elle a appelé chez vous plutôt que chez Johnny ?

— Johnny ? C'est dehors à longueur de journée !

Surprenant remercia Nantel et raccrocha.

— Elle a appelé ? demanda Bachand.

— C'est ce que dit Nantel. Pas de numéro source.

— J'avais raison ! claironna Bachand.

Surprenant résuma l'appel.

— Ce qui est bizarre, commenta Groulx, c'est qu'elle a contacté son barman plutôt que son père. Ou encore vous directement. Il semble que vous avez de bonnes relations…

— Elle veut peut-être attirer notre attention sur Nantel, proposa l'Orignal. D'après ce que j'ai compris, il est persuadé, comme tous les serveurs, que *lui* saurait faire marcher l'affaire. Il attend que Diane fasse faillite pour racheter le bar. Il n'a aucun intérêt à ce qu'elle se sorte du trou en épousant Parent.

La nuit tombait. L'équipe de jour avait quitté le poste, de même que Lucie Preston. Dans la petite pièce, sous le grésillement des néons et des ordinateurs, les quatre policiers, après leur journée de travail, dégageaient une odeur commune de boue, de sueur et de feuilles mortes.

— Pour commencer, dit Groulx, il faut localiser l'appel.

— Vous pensez que les technos ont une chance? demanda Bachand.

— Nous sommes à l'ère numérique. Je devrais avoir ça d'ici quinze minutes. Quel est le numéro du bar?

Surprenant le lui fournit. Groulx disparut dans un bureau attenant, pour mobiliser les technos et, probablement, rendre compte de la situation à ses supérieurs.

— Qu'est-ce qu'on fait, nous? murmura Santerre.

— J'ai une faim du diable, dit Bachand. Qui est partant pour une pizza?

— Je serais plutôt partant pour la chasse aux tourtereaux, dit Surprenant.

— Ce serait plutôt mon tour! protesta Santerre.

Groulx revint dans la pièce.

— C'est parti, annonça-t-il, comme s'il avait lancé un missile. Qu'est-ce qu'il y a?

— Mes enquêteurs brûlent d'envie de voir de l'action, expliqua Bachand.

— Je ne sais pas si vous allez en voir. Chose certaine, à moins de complications, cette querelle d'amoureux ne justifie plus de mobiliser une équipe du BEC. La procédure est de transférer le tout à une équipe locale. À l'heure où on se parle, d'autres personnes sont *réellement* disparues et ne s'amusent pas à jouer avec la police.

Groulx s'éclipsa de nouveau. Bachand allongea la main vers le téléphone, tout en observant les mines tendues de ses deux enquêteurs.

— Vous ne voulez quand même pas que je tire encore à pile ou face ?

— André ira, capitula Santerre. C'est son enquête. Laissez-moi Nantel, je vais tirer l'histoire du bar au clair.

Bachand poussa un soupir de soulagement.

— Qui veut de la pizza ?

— Si ça ne vous fait rien, je vais aller me préparer, dit Surprenant. À mon avis, il n'y a pas de temps à perdre.

Il se levait lorsque Groulx réapparut.

— L'appel provient d'un portable enregistré au nom de Ron Lagacé, de Windsor, en Ontario.

L'annonce provoqua une commotion qui sembla amuser Groulx.

— Par contre, il a été relayé par une tour située en Haute-Mauricie. L'affaire devrait être transférée à l'escouade de La Tuque.

— Je pars, dit Surprenant.

Groulx lui jeta un œil dédaigneux puis, s'adressant à Bachand :

— C'est votre décision, lieutenant, mais moi, je déléguerais Santerre.

— Voulez-vous de la pizza, Groulx ? À moins que ça ne soit pas assez chic pour vous ?

* * *

Ils avaient marché jusqu'au lac, puis poussé jusqu'à la tourbière au nord-est, où ils avaient été éblouis, dans la nuit naissante, par un harfang. L'oiseau, invisible contre la neige qui s'accrochait aux branches basses des épinettes, les avait survolés à quelques mètres de distance, furtif, immense et silencieux, avant de disparaître en forêt.

Encore éprouvé par les événements des derniers jours, Pierre exprima le désir de retourner au chalet. De son côté, Diane ne se sentait pas pressée. Elle resterait ici, dans cette éclaircie. Elle attendrait que leurs voix, leurs gestes retrouvent cette tension secrète qui leur tenait lieu de familiarité. Elle ne savait même pas si Pierre allait lui parler. Son ouverture n'était peut-être qu'une feinte. Il avait semblé vouloir l'aiguiller vers son enfance. Savait-elle vraiment ce qu'il avait vécu, fils unique, entre Rose et Romuald? Il avait été, malgré tout, un enfant choyé, que ses parents, sa mère du moins, avait poussé vers les études. Où était le drame? Ne se complaisait-il pas dans un rôle de victime?

Ce qu'elle voulait savoir, c'était s'il avait, oui ou non, tué accidentellement son fils. Le reste, elle n'en avait que faire.

Elle redoutait néanmoins ce qui allait se passer. Certains mots blessent à jamais. Au retour de cette promenade, elle pouvait lui remettre ses clefs, son CD de la *ziberflotte* et lui demander de retourner à Québec. Il n'aurait été qu'un autre homme sur sa route. Elle marcherait jusqu'au prochain chalet, demanderait qu'on la conduise au village et y prendrait l'autobus, avec son sac à dos, devant un casse-croûte, comme la *floune* qu'elle avait toujours été.

Du Pathfinder, Pierre tira quelques CD, du jazz et des quatuors de ce compositeur tchèque dont elle ne prononçait pas le nom comme il fallait.

Pourquoi ne s'enfuyait-il pas?

Il choisit de réécouter, une dixième fois, *Sunday at the Village Vanguard* de Bill Evans. Il dit que ça lui rappelait leur voyage à New York.

Il affichait son calme factice.

— Mangeons, veux-tu? proposa-t-il pour rompre le silence.

Elle improvisa une sauce aux tomates. Après un repas funéraire, ils s'assirent côte à côte sur le vieux divan, face aux fenêtres où se reflétait la lueur de la lampe à l'huile. Il lui demanda d'éteindre la lampe. La carabine reposait sur la tablette supérieure d'un vaisselier aux carreaux ternis. La lune apparut brièvement entre les nuages. À l'intérieur, les portes vitrées du poêle laissaient filtrer des lueurs orangées.

26

Par une nuit sans lune

En route vers Beauport, Surprenant appela Claude Duchesneau.

— Encore vous! s'amusa l'ex-anesthésiste.

— Je ne sais pas si vos relations du CHUL vous ont mis au courant. Pierre Parent et sa blonde ont disparu.

— Merveilleux!

— Vous maintenez votre témoignage?

— Parfaitement! Savez-vous ce qu'est la monomanie, Surprenant?

— Arrêtez de faire le drôle! On n'est pas dans un opéra. Y a du vrai monde en danger.

— En danger! Voyez-vous ça? C'est vous qui refusez de voir la réalité!

— Complicité après les faits, vous savez ce que ça peut vous valoir?

— Laissez-moi tranquille, une fois pour toutes! Mes spaghettis *alle Vongole* sont en train de refroidir!

— On se reparle la semaine prochaine.

— *In medio stat virtus!* La vertu tient dans le médius, et je le pointe en votre honneur, monsieur!

Surprenant raccrocha en songeant que Pierre Parent avait raison : Duchesneau, tout poivrot qu'il fût, était un homme divertissant. Ce qui n'avançait en rien ses affaires. Monomanie… Narcissisme… L'anesthésiste avait réussi à raviver ses doutes. Si Parent était innocent, comme l'établissaient l'inspection de son véhicule et le témoignage de Duchesneau, lui, Surprenant, dans son aveuglement, avait réveillé la fureur d'Hélène Damphousse qui avait fait parvenir une lettre à Diane, laquelle avait sauté les plombs. Que contenait cette lettre ? Des mensonges ? Des insinuations ? Groulx avait-il raison de recommander à son supérieur de déléguer Santerre à sa place ?

N'était-il pas, n'avait-il pas toujours été *a loose cannon on the deck*, le mouton noir de l'escouade ?

Il aperçut à l'est, au-delà des chapelets de phares qui signalaient l'autoroute de la Capitale, la silhouette massive de Robert-Giffard. Il posa la main sur les photocopies, sur le siège du passager. Il disposait toujours de cette précieuse piste : les divagations d'un schizophrène.

Il lui restait une autre cartouche. Il composa le numéro de Micheline Gosselin, mais n'obtint pas de réponse. Il appela Santerre au poste et lui demanda de trouver les coordonnées de l'agente.

— Je fais ça ce soir. Je reste ici quelques heures encore. J'ai découvert que notre Lagacé est un camionneur à l'emploi de la Can-US Shipping. Il est allé chercher du bois d'œuvre à Chapais pour le livrer en Ohio. Actuellement, il doit approcher du Lac-Saint-Jean. Les gars de Dolbeau devraient l'intercepter quelque part.

Comme d'habitude, Geneviève avait allumé la lumière à l'entrée du château fort. Une odeur de volaille flottait dans la maison. William et Olivier faisaient leurs devoirs dans le salon. Geneviève l'attendait dans la cuisine, le regard interrogateur.

— Ça n'a pas l'air d'aller, observa-t-elle en se haussant sur la pointe des pieds pour l'embrasser.

— Poulet aux olives, diagnostiqua-t-il en lui sentant les mains.

— Ta mère a passé la journée à l'hôpital. Elle a fait un début d'AVC.

— Quoi ?

— Elle a cherché ses mots pendant quelques heures. On lui a donné quelque chose pour lui déboucher les artères.

— Tu aurais pu me prévenir.

— Roméo vient juste de m'appeler. D'après lui, tout est rentré dans l'ordre.

Assis sur le lit, dans la chambre, Surprenant appela sa mère, toujours en observation à l'hôpital du Haut-Richelieu.

— Ça va ?

— J'ai eu une peur bleue. Je me suis mise à déparler, tout d'un coup. Mais là, c'est passé.

Surprenant écoutait la voix de sa mère, toujours un peu rauque malgré l'abandon, deux ans plus tôt, de son paquet quotidien de Craven A. Le débit était le même.

Tout en lui parlant, il préparait ses bagages.

— Tu es sûre que tout va bien ?

— Paraît qu'il va falloir faire de quoi avec ma pression et mon cholestérol. Je laisse les médecins s'occuper de ça. En autant que je puisse partir en Floride dans quelques semaines.

— C'est quand même un gros signal d'alarme, maman.

— Le docteur m'a dit qu'il fallait que je prenne soin de moi. Je ne sais pas ce que je peux faire de plus : je ne fais plus rien !

Sa mère n'avait que soixante-huit ans, mais elle en paraissait davantage. Il écoutait la voix en pensant que, un jour, comme la majorité des Goyette, elle s'éteindrait brusquement, emportant avec elle tout ce qui n'avait pas été dit. Encore là, était-il dans l'erreur? Il avait bien retrouvé la trace d'un Maurice Surprenant à Los Angeles. S'agissait-il de son père? Il se leva et, téléphone à l'oreille, commença à faire sa valise. Sa mère lui décrivait en détail les péripéties de sa journée, sans compter l'angine de poitrine de Roméo et les nouvelles de la parenté. Il éprouvait, en l'écoutant, un sentiment de honte. Cette femme l'aimait inconditionnellement. Elle était vieille, ses poumons étaient usés par la cigarette, elle engraissait, ses articulations enflaient, ses artères se bouchaient. Pourquoi se sentait-il si froid? Pouvait-il lui pardonner?

— Tu vas te fatiguer, maman.

— Je te parle si peu souvent. Je croyais bien te voir à l'Action de grâces.

— D'ici deux semaines. Juré, craché!

— « Juré, craché »… Tu disais ça tout le temps quand t'étais petit! Prends soin de ta Geneviève. C'est une bonne petite femme que t'as là.

— Faut que j'y aille, là. Bye.

— C'est ça. Oublie pas sa fête. C'est le 3 novembre.

Nicole Goyette avait une manie : elle retenait les dates d'anniversaire des membres de sa famille, de ses amies et de personnages divers, allant de son boucher jusqu'au premier ministre. En vieillissant, elle se faisait un devoir de souligner les fêtes de tous ses proches, jusqu'aux enfants de Geneviève, le plus souvent par un coup de téléphone matinal.

— J'oublierai pas. Bye, là.

— Bye.

Il raccrocha au moment précis où il déposait son Glock 357 dans son sac. Il ne portait pas son arme aussi souvent qu'il le devrait. Sait-on jamais?

262

Sac à l'épaule, il retourna dans la cuisine.

— Tu t'en vas où, comme ça? s'informa Geneviève.

— À La Tuque.

Il la mit au courant des développements de la journée, tout en débouchant une bouteille de bourgueil.

— As-tu vraiment besoin d'aller là-bas?

— Diane a confiance en moi. Je connais les détails de l'affaire. Je voudrais bien en finir une fois pour toutes.

— Prendras-tu au moins le temps de manger?

Le ton de Geneviève était désapprobateur. Ce voyage en Haute-Mauricie recelait certainement une part de danger. Surprenant sentit pourtant que la réaction de sa conjointe avait d'autres sources.

— Qu'est-ce qu'il y a?

— Diane Gagnon, j'aimerais bien que tu la tires des pattes de son docteur, mais j'en ai plein mon chapeau!

— Voyons, Geneviève…

— On en parlera à ton retour, si tu reviens!

* * *

Dans la pénombre du chalet, il commença:

— Le samedi de l'accident, j'ai passé la soirée chez une femme, à Lac-Saint-Joseph. Je ne t'ai jamais parlé d'elle. C'est Micheline Gosselin, l'agente immobilière. Elle est mariée. Il n'était pas question d'amour entre nous, du moins de ma part. Il y avait l'argent, le secret, du sexe un peu sordide.

«J'ai commencé à boire un ou deux ans avant de me séparer d'Hélène. Le vin aux repas, l'apéro, évidemment, puis quelques petites lampées de fort, ici et là, d'abord chez moi, puis une heure ou deux avant de voir mon dernier patient. Hélène s'en apercevait, bien sûr. Elle me taquinait gentiment, à sa façon détournée. Quelque chose n'allait pas. J'avais réussi ma vie familiale et professionnelle. J'étais riche, en bonne santé, ma femme aussi. Mes enfants étaient élevés. J'étais arrivé, et pourtant j'étais habité par le vide.

« Je n'avais pas conscience de ce vide. Je le ressentais comme un inconfort vague, que j'attribuais à ma relation avec Hélène. Je n'ai jamais été très amoureux d'elle. Quand nous nous sommes rencontrés à l'université, elle m'est apparue comme une fille intelligente, autonome et équilibrée. Elle trouvait toujours une façon de me mettre à l'aise, malgré ma timidité. Une parfaite épouse pour un jeune spécialiste. Elle me permettait de poursuivre ma carrière en échange d'un engagement minime : la fidélité, ou son apparence, la présence à la maison, un peu de franchise, des vacances communes, en un mot la vie d'un bon père de famille occupé.

« Elle devait espérer autre chose, mais elle m'aimait. En plus, elle a le sens du devoir. Nous avons vécu ensemble pendant vingt-cinq ans. Le cottage à Sillery, les deux BMW dans la cour, les enfants dans les écoles privées, les concerts, des voyages en Europe. La vie parfaite et tranquille. J'allais avoir cinquante ans en 2000. Ce n'est qu'un chiffre. J'ai eu, comme pour les ordinateurs, la crainte du bogue de l'an 2000. La différence, c'est que, chez moi, le bogue s'est réellement produit. J'ai voulu échapper au vide. J'ai quitté Hélène, en lui faisant croire que j'avais rencontré quelqu'un.

« Je couchais avec une femme, mais je n'avais rencontré personne, pas même moi. Je parvenais à dissimuler ma consommation d'alcool sous le couvert de ma vie sociale. J'ai eu des aventures. J'ai vendu, acheté et rénové des propriétés. J'ai fait des séjours en Afrique. Je me suis beaucoup agité jusqu'à ce soir du 18 octobre 2003.

« Ce samedi-là, je voyais Micheline chez elle pour la première fois. Son mari devait rentrer à la fin de la soirée.

Le lendemain, ils partaient pour Las Vegas ou quelque chose comme ça. J'ai quitté la maison peu après vingt-deux heures, un peu plus ivre que d'habitude. Il n'y avait pas de lune. En prenant une courbe, pendant que je fouillais dans le coffre pour trouver un CD — Chet Baker, je m'en souviendrai toute ma vie — j'ai dû dévier de ma route. J'ai entendu un bruit sourd, j'ai entrevu un corps qui virevoltait à ma droite. J'ai appliqué les freins. J'ai même eu le réflexe d'éteindre le moteur.

«J'ai regardé derrière moi. Dans la lueur des lampadaires, il y avait un corps sur l'accotement. Pas d'autos en vue. Le silence. J'ai mis la main sur la clef de contact, je n'avais qu'à démarrer et à fuir. J'ai regardé derrière, j'ai revu le corps immobile, puis la bicyclette. J'avais heurté un enfant.»

— C'était donc vrai!

Diane se leva brusquement, comme si le divan eût été en feu, et contourna la table, lentement, dans la pénombre, en se tenant la tête à deux mains et en proférant une bordée de sacres et d'imprécations. Elle s'arrêta alors qu'elle était face à lui. Sa respiration était sifflante.

— En fait de salaud, tu es vraiment un champion!

Il se taisait.

— Maintenant, je veux que tu me racontes tout! Pour une fois!

Il laissa passer quelques secondes.

— Veux-tu te rasseoir, s'il te plaît.

— OK.

— Tout s'est passé en moins de quinze secondes. J'ai couru vers l'enfant. Le crâne était ouvert, déformé. Il respirait encore, il avait un pouls filant, mais la blessure était grave. Au mieux, il s'en sortirait avec des séquelles majeures. Appeler une ambulance sur cette route de campagne, un samedi soir, n'était pas une option. Il allait mourir d'une minute à l'autre. Et je serais à coup sûr condamné pour conduite en état d'ébriété ayant causé la mort.

« Ma décision a été instantanée, chirurgicale. J'ai pris le corps, je l'ai chargé dans le coffre. J'ai aussi embarqué la bicyclette, en espérant orienter les recherches vers une disparition. J'agissais par instinct, en redoutant à tout instant qu'une auto vienne à passer. La chance était de mon côté. La route de Fossambault était déserte. Je suis reparti, ni vu ni connu, avec Jonathan qui agonisait à l'arrière.

« J'ai roulé jusqu'à l'intersection de la route Saint-Denys-Garneau. Je croisais maintenant des autos. De l'autre côté du pont, il y avait de l'animation autour du restaurant et de la station-service. Je pouvais traverser le pont et rouler à toute vitesse vers l'urgence du CHUL. C'était la seule chance de sauver l'enfant. C'était aussi ma honte certaine. Quelque chose en moi a dit non, encore, violemment. J'ai traversé le village, roulé encore dix minutes jusqu'à un chemin de traverse qui s'enfonçait dans un bois. J'ai immobilisé le CR-V et je suis allé voir l'état de ma victime.

« Le garçon était mort. »

Il fit une pause. Il entendait la respiration de Diane, courte, rapide, et le crépitement des bûches dans le poêle. D'un geste vif, elle empoigna la bouteille de vin par le goulot et la lui lança de toutes ses forces.

27

Triangles

I thought for a while that your poignant smile
Was tinged with the sadness of a great love for me
Ah yes, I was wrong

Ella Fitzgerald chantait *Lush Life* à la radio lorsque le portable de Surprenant sonna.

— Poisson Blanc, prononça l'Orignal.

— Quoi ?

— Poisson Blanc. C'est un trou quelque part entre Saint-Félicien et Chapais. Les gars de Dolbeau ont mis la main sur Lagacé.

— Qu'est-ce qu'il avait à dire ?

— Il faisait le plein d'essence au *155 Express*, un relais de routiers, à l'entrée de La Tuque, quand une femme l'a abordé et lui a demandé si elle pouvait se servir de son téléphone. Il a commencé par refuser. Elle lui a offert vingt dollars et a composé le numéro devant lui. Elle était avec un homme. Les descriptions correspondent à Diane et Parent.

— J'imagine qu'elle pensait retarder les recherches en appelant du portable d'un *trucker* domicilié en Ontario.

— Elle rit de nous autres. Où es-tu?

— Je passe Lac-à-la-Tortue par la 359.

— J'ai des trucs intéressants au sujet de Micheline Gosselin. Elle est mariée avec Roland Cadotte, l'homme d'affaires. Un adon: il possède une grosse cabane à Lac-Saint-Joseph.

— Du côté est du lac?

— En plein ça.

— Ça commence à se mettre en place. Tu as ses coordonnées?

Surprenant s'arrêta sur l'accotement et nota les adresses et les numéros de téléphone de l'agente immobilière.

— Je te revaudrai ça, dit Surprenant en embrayant. Des nouvelles du frère de Faubert?

— Il n'est pas chez lui et il ne répond pas à ses courriels. C'est tout ce que je peux dire.

— Réessaie demain. On ne sait jamais.

— Présente-toi au poste à La Tuque. Tu es attendu.

Surprenant coupa la communication et repartit. Il rejoignit la 155 à la sortie de Grand-Mère en réfléchissant aux implications des révélations de Santerre. Duchesneau et Micheline Gosselin avaient menti, pour des raisons différentes. S'il était facile d'imaginer que la femme ne désirait pas étaler une liaison aux yeux du public, les motivations de Duchesneau étaient plus obscures.

Le jazz avait fait place à du Berlioz. Il traversait une forêt de conifères. Surprenant éteignit la radio. Sa courte nuit de la veille commençait à faire sentir ses effets. L'hospitalisation de sa mère, la tension qui s'était installée entre Geneviève et lui, la responsabilité qui lui revenait dans l'enlèvement de Parent minaient ses forces. Geneviève n'avait pas tort quand elle lui signalait son désarroi. Même s'il ne s'était rien passé avec Diane, il s'était de nouveau placé à la pointe d'un triangle.

N'avait-il pas toujours vécu dans un triangle ?

Il baissa la vitre de la portière pour se tenir éveillé. L'air était froid, humide. La route quitta la forêt pour se coller à la rive est du Saint-Maurice. Un bout de lune bondissait sur les vagues.

Le récit du camionneur ontarien ouvrait néanmoins des perspectives intéressantes. Diane et Pierre Parent avaient circulé dans La Tuque. Le cardiologue avait sans doute eu l'occasion de maîtriser Diane ou de fuir. Il ne l'avait pas fait.

Surprenant savait maintenant pourquoi Parent avait porté le corps de Jonathan dans la Jacques-Cartier et avait, un an plus tard, approché Diane.

Il avait voulu se racheter. Héroïquement. Stupidement.

Peut-être le voulait-il toujours ?

* * *

Il devina le mouvement, esquissa le geste de lever les bras. La bouteille l'atteignit à la lèvre. Une douleur aiguë, un craquement, un goût salé dans la bouche. Il sentit sous sa langue un bout de dent, qu'il recueillit dans sa main.

— Tu m'as cassé une incisive, constata-t-il.

— Je m'en fiche ! Continue !

Diane se releva et marcha jusqu'à la porte de la chambre, aller-retour, deux fois, comme pour chasser la douleur. Plus calme, elle prit place dans le fauteuil, dans le coin de la pièce près du vaisselier et du fusil, et répéta sa demande, un ton plus bas.

— Continue.

Dans la pénombre, elle le vit déposer son bout de dent sur la table, à côté de son assiette. Il imaginait peut-être qu'il pourrait se la faire recoller, le lendemain, par son ami le dentiste de l'avenue Maguire.

Cette fois, il n'obéit pas. Il se dressa sur ses longues jambes et alluma la lampe à l'huile. La lueur de la flamme lui composa un visage tragique. Sa lèvre saignait. Il s'éclipsa vers la salle de bains. Il allait peut-être s'examiner dans le miroir. À moins qu'il n'ait résolu de prendre la fuite.

Elle se sentait vidée de tout espoir. Malgré la photographie, malgré les amorces d'aveux, une part d'elle, insensée, incurable, s'était accrochée à la thèse de la coïncidence. L'enregistreuse tournait toujours dans son sac à main. Il venait d'avouer que son véhicule avait heurté Jonathan et qu'il s'était sauvé. Délit de fuite ayant causé la mort. Ça devrait l'occuper pendant quelques mois. La qualité de cet enregistrement serait-elle suffisante? Aurait-elle même envie de s'en servir?

Pierre était un homme prudent. Il devait se douter qu'elle n'avait pas dérogé à son dessein. Peut-être avait-il réellement besoin de se confesser?

Il revint. S'assit à la même place.

— L'enfant était mort. Il n'y avait plus rien à faire. J'ai pleuré de rage, j'ai frappé le CR-V à coups de pied, je me suis apitoyé sur moi-même, puis je me suis calmé. Je me trouvais devant une autre décision. Cette fois, j'avais tout mon temps. J'ai marché dix ou quinze minutes, dans cette érablière déserte. Mon esprit s'est éclairci. À mon retour, j'ai enfoui l'enfant sous un tas de feuilles et de branches, en espérant qu'il n'attire pas un coyote. La solution était temporaire, mais c'était moins dangereux que de circuler, ivre, avec un cadavre dans ma voiture.

«J'ai conduit jusqu'à Québec. En chemin, j'ai décidé de jeter la bicyclette dans le fleuve, à un endroit propice, près de la marina de Sillery. C'était stupide et dangereux. On pouvait me voir. La marée était haute, la bicyclette a disparu. À ce moment, me faire prendre ou non m'était devenu égal. Ce n'est que lorsque je suis rentré chez moi que j'ai pensé à inspecter le CR-V. Le pare-chocs et l'aile droite étaient légèrement cabossés. Pire, le miroir manquait. Cela pouvait permettre à la police de remonter jusqu'à moi. Il était trop imprudent de retourner sur les lieux de l'accident pour récupérer les fragments.

«J'ai brûlé mes vêtements pendant la nuit. Le matin, j'ai conduit jusqu'à Montréal. J'y ai fait nettoyer le CR-V dans un lave-auto tenu par des Vietnamiens, à Verdun, en payant au noir. J'ai loué une auto et je me suis mis à la recherche d'un rétroviseur chez un revendeur de pièces usagées. J'ai trouvé ce qu'il me fallait, un endroit discret, à Napierville, près de la frontière. La portière elle-même n'était pas abîmée. J'ai effectué moi-même la réparation, pour plus de sûreté.

«Restait le problème du pare-chocs et de l'aile droite. Il était hors de question de me présenter chez un carrossier. J'ai abîmé d'autres parties du pare-chocs et de la grille avant, de façon à ce que les dommages ne puissent être attribués à un seul accident. J'ai sablé la carrosserie au point d'impact avec la bicyclette pour enlever toute trace de peinture ou de fibres. En revenant à Québec, je suis allé me promener dans une sablière, pour salir la carrosserie le plus possible. Le soir, j'ai rangé le CR-V dans le garage.

«J'ai lu les journaux et regardé la télévision. Tu refusais les entrevues. Des citoyens de Sainte-Catherine, eux, parlaient aux médias. Je n'avais pas tué n'importe quel enfant. J'avais tué Jonathan Gagnon, douze ans, un élève de sixième année aimé de tous, le fils unique d'une mère célibataire qui avait courageusement repris en main un bar près de la rivière.

«Il restait à me débarrasser du corps, évidemment. J'étais assez lucide pour comprendre que je me trouvais aussi encombré de la mère. Ce lundi-là, elle imaginait peut-être encore que son fils avait été enlevé. Elle attendait, elle espérait.

« Ç'a été une affreuse expédition. J'ai déposé une bâche au fond du coffre de la BMW. Je suis retourné dans le bois à trois heures du matin. Le corps n'avait pas été touché, encore un miracle. J'ai découpé les vêtements avec un ciseau, comme à l'urgence, et je l'ai déshabillé complètement. Je l'ai porté jusqu'à la BMW et je suis allé le déposer, ni vu ni connu, dans la Jacques-Cartier, à Saint-Gabriel, à un endroit où je savais qu'il serait retrouvé. La mère pourrait faire son deuil. Je me suis débarrassé des vêtements et de la bâche dans un conteneur à déchets, à Saint-Augustin.

« Le mardi matin, une agente de la police de Québec est passée chez moi et a jeté un coup d'œil au CR-V. Je lui ai parlé de l'hôpital, en prenant une attitude coopérative, mais pressée. J'ai attendu le verdict. Pas de nouvelles, bonnes nouvelles. Le maquillage semblait tenir. Je suis revenu du travail, je suis entré chez moi, je me suis versé un grand verre de scotch et j'ai poussé un soupir de soulagement. J'étais sauvé.

« Je le croyais. J'eus beau vider la moitié de la bouteille, l'angoisse demeurait là, avec une peine immense. J'ai continué à rechercher et à lire avec passion tout ce qui se rapportait à l'accident. J'ai résisté à l'envie d'assister, même de loin, aux funérailles. Je voulais te voir, savoir qui tu étais. Cent fois, j'ai eu envie de me livrer à la police. J'ai redoublé de zèle à l'hôpital, je suis retourné en Afrique, j'ai songé à m'engager avec Médecins sans frontières. J'étais plus bienfaisant que jamais, et pourtant je gardais l'impression que j'étais une pourriture.

« Je refusais de me rendre. J'étais toujours convaincu que j'étais plus utile à la société libre qu'en prison. En réalité, je m'agrippais à mon confort. Je continuais à fréquenter Micheline, de loin en loin. Encore une fois, j'étais chanceux. Elle avait quitté le Québec pendant deux semaines. Quand elle est revenue, l'histoire n'était plus d'actualité. Elle n'a jamais fait le rapprochement entre l'accident et notre soirée au Lac-Saint-Joseph, le 18 octobre. Je l'ai quittée en février, assez longtemps après les faits, de façon à ce qu'elle ne fasse pas le lien.

«Il s'est passé cette chose étrange : j'ai cessé de boire, *cold turkey*. Ma libido est paradoxalement tombée à zéro. Les femmes ne me disaient plus rien. Le printemps arriva. J'avais assez d'autocritique pour comprendre que je souffrais d'une dépression. La culpabilité me rongeait, mais j'étais isolé. Peut-on confier un crime à un psychologue ? À un curé ? Oublie ça. Mon père était vieux. Mon ex voulait m'étriper. Il me restait mes enfants, mais je ne pouvais me confier à eux. J'étais seul comme un rat.

«Je me suis soigné moi-même. J'ai relu mes manuels, j'ai acheté de nouveaux livres, j'ai noté mes rêves, j'ai tenu un journal que je conservais sous clef dans mon bureau au CHUL. C'était dangereux. Je laissais des traces que la police pourrait exploiter, puisque je restais à la merci de mes complices, Micheline, sans compter Duchesneau. Perte d'intérêt et de désir, sentiment de rage impuissante, j'accumulais les symptômes. Le pire, c'était la culpabilité. Ça ne me lâchait pas. Je rationalisais en me disant qu'il s'agissait d'un accident, que je n'avais pas eu l'intention de tuer. Ça ne changeait rien. Le mal était là. Je ne pouvais rien y faire. J'avais perdu le contrôle de mes idées, de mes sentiments.

«Notre souffrance d'adulte n'est jamais que l'écho d'une souffrance ancienne. Si j'avais tué un adulte, ma culpabilité aurait-elle été la même ? Non. J'ai commencé à penser que j'étais hanté par Jonathan parce qu'il me ramenait à moi-même.»

— Tu ne vas pas me raconter ta thérapie, quand même !

— Je n'en ai pas l'intention. Calme-toi.

— Je ne me calmerai pas ! Tu es un monstre ! Tu ne t'es pas contenté de tuer Jonathan et de te sauver comme un lâche ! Non ! Tu es venu me chercher et tu m'as fait croire que tu m'aimais ! Regarde !

Elle souleva son chandail et lui montra, frémissante, sa poitrine ou ce qui en restait : un sein flasque et une cicatrice.

— Je ne suis pas une poupée gonflable, je ne suis pas un concept, je ne suis pas ta mère, je suis une femme ! Une personne !

28

Le Rapide-Blanc

Après Grandes-Piles, Surprenant jugea que s'assurer la collaboration de Micheline Gosselin lui procurerait un avantage s'il devait parlementer avec Parent.

La ligne d'affaires de l'agente le dirigeant toujours vers un répondeur, il composa le numéro personnel de Roland Cadotte. Micheline Gosselin répondit à la deuxième sonnerie.

— Vous ne lâchez pas, constata-t-elle.

— Ce serait à vous de le faire.

— Que voulez-vous?

— Que vous me confirmiez que Pierre Parent était chez vous le soir du 18 octobre 2003.

Il perçut une hésitation chez son interlocutrice.

— La première chose que vous devez savoir, c'est que je n'étais pas au courant de l'accident. Le dimanche matin, je suis partie deux semaines aux États-Unis avec mon mari.

— Je n'ai pas l'intention de faire porter des accusations contre vous. J'ai besoin de votre témoignage pour confronter Parent.

— Il n'en a jamais fait allusion. Il m'a *flushée* quatre ou cinq mois plus tard, en me disant qu'il cherchait une femme libre. Mon œil !

— Vous me confirmez qu'il était chez vous ce samedi-là ?

— Oui, il était chez moi ! J'ai vu les photos du petit gars sur Internet. Ça m'a reviré les sangs. Si j'avais su il y a deux ans, vous pouvez être certain que j'aurais avisé la police, même si mon image et mon mariage en auraient pris une claque.

— Vers quelle heure Parent est-il parti ?

— Entre dix et onze heures, je dirais.

— Merci.

— Je vous laisse le numéro de mon téléphone personnel. Oubliez l'autre, s'il vous plaît.

Surprenant retrouva la paix de son habitacle avec un sentiment de satisfaction. Les feux d'un camion-remorque l'aveuglèrent au sortir d'une courbe. Saint-Roch-de-Mékinac. Il fonçait franc nord entre rivière et forêt, sans avoir la moindre idée de l'endroit où Diane et Parent s'affrontaient.

* * *

Diane, devant lui, exhibait sa cicatrice, véritable stigmate de la mort de son fils.

Il était déterminé à en finir.

— Il n'y a pas de honte à parler de son enfance. Tu trouveras que c'est ridicule, mais j'ai découvert que je suis mort, symboliquement, au même âge que Jonathan, à douze ans, le jour où j'ai pris l'autobus qui suivait la Canardière jusqu'au Petit Séminaire. J'étais une flèche que ma mère avait lancée vers le savoir et la respectabilité. Qu'elle soit tombée malade et qu'elle n'ait même pas eu conscience de ma réussite a aggravé la situation.

Comment peut-on s'opposer à une morte ? Mon père ? Il vivait dans un autre monde. Tout ce qui me reste de lui, ce sont les parties de hockey du mercredi soir et l'odeur de bois dans son atelier.

« J'étais donc cette flèche qui, à cinquante-trois ans, était fichée dans sa cible. Un homme qui avait tué un enfant alors qu'il était ivre et qui s'était dérobé à la justice. Mon existence est devenue très étroite : mon travail, mes enfants que je voyais rarement, deux collègues qui m'invitaient à souper et me présentaient des femmes qui ne m'intéressaient pas.

« Six mois après l'accident, au printemps, j'ai commencé à rôder à Sainte-Catherine, sous prétexte d'acheter une résidence secondaire. Je passais devant ta maison, devant ton bar. De la mère d'un patient, j'ai appris en avril que tu souffrais d'un cancer du sein. Je développais cette obsession consciemment. Je ne sais pas si on peut qualifier ça de pervers. Je savais que je devais m'éloigner de toi, mais te frôler, en cherchant des traces de ton passé sur Internet ou en m'informant innocemment de ton devenir auprès de ton chirurgien ou de la caissière de l'épicerie que tu fréquentes, me procurait une sorte d'excitation, suivie d'un remords. J'éprouvais à la fois la peur et le besoin d'être découvert. C'est devenu une sorte de dépendance, qui remplaçait l'alcool. J'avais recommencé à boire, mais modérément, pour garder une façade sociale normale.

« Je connaissais peu de choses de toi. Par les journaux, j'avais appris que tu avais quitté Sainte-Catherine pour ensuite y revenir. Tu ne vivais pas dans l'abondance. Tu habitais cette petite maison entourée d'arbres, face à la rivière. Tu conduisais une vieille auto déglinguée. Malgré tout, j'avais le sentiment que tu étais dense pendant que j'étais vide.

«J'ai acheté un chalet au lac Sept-Îles, quelques semaines plus tard. Ce n'était ni trop près ni trop loin de toi. J'avais appris ta passion pour le plein air. Je savais qui était ton père. Je savais aussi que tu avais un bac en lettres, que tu avais travaillé pour une compagnie de théâtre. Je n'avais pas l'intention de t'approcher. Je ressentais une sorte de bien-être à l'idée d'être près de toi, de veiller sur toi, en quelque sorte. Je prenais de plus en plus de risques, d'autant plus que tout le monde au village savait que Surprenant n'abandonnait pas la partie. C'était comme une drogue, je développais une tolérance et j'augmentais la dose.

«Mon humeur s'améliorait. J'agissais, je reprenais le contrôle de mon existence. À l'été, j'ai pris possession du chalet et j'ai organisé mon horaire de façon à ne plus travailler le vendredi. Je me sentais bien quand j'étais à Sainte-Catherine. J'avais l'impression que j'étais en train de guérir. Le 18 octobre, le premier anniversaire de la mort de Jonathan, approchait. J'ai décidé de marquer le coup. Une fois, une seule fois, je me permettrais d'entrer dans ton bar, comme n'importe quel inconnu, je m'installerais au comptoir et je commanderais une bière. Je te verrais de près, en chair et en os, tu ne me reconnaîtrais pas, et je pourrais ensuite t'abandonner, comme j'avais abandonné Jonathan à la rivière. En te rencontrant en personne, je franchissais une frontière. C'était un rite de passage, une sorte de délivrance, que je me permettrais une seule fois. »

Dans son fauteuil, Diane, les genoux repliés contre sa poitrine, le fixait avec un mélange de fascination et d'horreur. Elle lui lança d'une voix mordante :

— Tu es revenu le jeudi d'après. Tu voulais augmenter la dose, encore une fois ?

— Pas de la façon que tu crois. Pendant quelques jours, je me suis senti libéré. Je t'avais vue, je t'avais parlé et tu ne m'avais pas reconnu. J'étais invisible. J'étais immun. Même toi, la mère, à trois pieds de distance, tu ne sentais pas que j'étais le coupable.

« Mais il s'est passé autre chose. Tu as cessé d'être une femme virtuelle, la mère de Jonathan Gagnon. Tu t'es incarnée. Je t'ai trouvée belle malgré tes traits tirés, ta pâleur et ta maigreur. J'ai aimé ton humour, ta vivacité, ton parfum. À partir du lundi, j'ai commencé à rêver au moment où je quitterais Québec pour le lac Sept-Îles. Dans mes pensées, je passais devant ton bar. Parfois, j'entrais. La plupart du temps, je résistais à la tentation et passais outre. Le jeudi, je n'ai pas pu résister. Je suis entré, en me disant que c'était la dernière.

— Je t'ai reconnu et je t'ai demandé : « Une Bleue ? »

— Tu m'as charmé de nouveau. Les jours, les semaines ont passé. Je suis devenu un habitué. Je m'interdisais d'imaginer que les choses puissent aller plus loin entre nous. Tu étais d'autant plus attirante que tu étais interdite. Derrière ça, il y avait le besoin de réparer ma faute. C'était un cocktail explosif. Plusieurs fois, j'ai pensé à me rendre, à avouer, à me mettre en ton pouvoir. Au début, tu m'aurais peut-être pardonné. Mais plus le temps passait, plus mon secret était inavouable.

— Pourquoi parles-tu maintenant ?

— C'est ma dernière carte.

Diane se leva et se mit à arpenter la pièce, les bras croisés.

— Tu es incroyable ! As-tu seulement pensé que je pouvais m'attacher à toi ?

— C'est ce que je voulais. C'est ce que je veux encore.

— C'est terminé, Pierre. Comme dans *terminus* !

Les mots tombèrent, froids, définitifs.

— Attends ! Ne me laisse pas tomber avant de tout savoir.

— J'en sais suffisamment, crois-moi.

Elle fourragea dans son sac et lui jeta ses clefs au visage.

— Tu vois la porte ? Prends-la et ne reviens jamais !

— Tu ne peux pas m'abandonner maintenant, Diane !

— Monsieur a peur d'être abandonné ! Tu es pitoyable !

— Tu m'as dit que tu savais qui j'étais, depuis le début !

Elle sortit l'enregistreuse et en arrêta le mécanisme.

— J'avais besoin d'une confirmation. Je l'ai !

Il se dressa, très pâle.

— Tu m'as fait ça !

— Et toi, qu'est-ce que tu m'as fait ? Reste où tu es ! Tu me fais peur !

Il contourna la table. Plus rapide, elle courut derrière le fauteuil, saisit la carabine et la pointa vers lui.

**

Surprenant déposa son sac sur le lit et huma l'air à deux reprises. La chambre 103 du Motel du Lac, à la sortie de La Tuque, sentait l'humidité, le désinfectant à la lavande et la plinthe électrique récemment mise sous tension. Il alla à la fenêtre, tira d'épais rideaux rouges, et découvrit une terrasse sur laquelle un spa attendait stoïquement l'hiver. D'épais nuages masquaient la lune. D'après les cartes, le Saint-Maurice formait à cet endroit, en recevant deux affluents, un lac de plus d'un kilomètre de largeur. Pour l'instant, Surprenant ne devinait, au-delà de l'îlot de clarté que produisait l'unique lampadaire du stationnement, qu'une masse d'eau noire et froide.

L'accueil que lui avait réservé le lieutenant Claude Brosseau, au poste de la MRC de La Tuque, boulevard Ducharme, n'avait pas été plus chaleureux.

— Sergent André Surprenant… Aviez-vous besoin de vacances ?

Il semblait irrité d'accueillir un étranger dans son fief. Sans mettre de gants blancs, il déclara à Surprenant que la recherche du couple Gagnon-Parent était pour lui une entreprise doublement futile. Il n'y avait pas de preuve de séquestration et il était à peu près impossible de retrouver sur son territoire, le plus grand au Québec après l'Ungava, deux personnes qui avaient décidé de s'y cacher.

— Des centaines de lacs, des milliers de camps ou de chalets, vous cherchez une aiguille dans une botte de foin !

— On sait quand même qu'ils étaient au *155 Express* cet après-midi.

— On s'est informés. Personne ne les a vus. En tout cas, amusez-vous, mais vous ne vous promènerez pas seul. Demain, l'agent Power vous assistera.

— Un agent !

— Mes enquêteurs ont autre chose à faire. Vous savez quoi ? Demain, à l'heure qu'il est, vos amoureux seront probablement de retour à Québec !

Surprenant quitta la fenêtre de sa chambre et défit sa valise. Du minibar, il tira une bière et deux mignonnettes de Johnnie Walker. S'assoyant à l'indienne sur un lit double dont le moelleux n'annonçait rien de bon, il déploya ses trois armes : la carte, les petits papiers de Denis Faubert et la composante ciseau du couteau suisse qu'il avait acheté, en compagnie de Maria, dans une boutique de Naples, la veille du jour où la France avait gagné la Coupe du Monde en 1998.

L'exercice de concordance s'annonçait acrobatique. Autour de La Tuque s'étalait une constellation de lacs, de rivières, de chemins, de lieux-dits affichant des noms aussi pittoresques que la Rivière-aux-Rats, le lac du Quiscale et Starvation Point. Les recoupements sémantiques avec le charabia de Davy Crockett étaient légion. Surprenant vida sa bière et promena son regard sur l'ensemble, à la recherche de la géniale intuition.

Résultat : néant.

Il dévissa le bouchon de la première mignonnette. À défaut d'illumination, il procéderait par élimination. À l'aide des ciseaux, il découpa dans les photocopies tout ce qui ne semblait pas être en rapport avec les Laurentides. Big Mamma, le Colonel et Ulysse prirent bientôt le chemin de la poubelle, suivis d'extraits de poèmes, de paragraphes entiers du manuscrit éclaté de *Galaxies*.

À vingt-trois heures, Surprenant avait vidé une troisième mignonnette, cette fois de la vodka, lorsqu'il eut l'impression de trouver une piste qui le menait à Diane Gagnon : les mots de *Lady Di* (comment n'avait-il pas allumé ?) accolés à *des hommes de rien*. Il ressentit une sorte de démangeaison, de courant électrique sous la peau : il touchait quelque chose, mais quoi ? *Des hommes de rien...* Les mots lui rappelaient, du plus creux de son enfance, une chanson folklorique. Était-ce encore la Bolduc ? Il prononça les syllabes à haute voix, tenta de les chanter, mais l'air lui échappait. Ces mots semblaient aussi avoir un rapport avec quelque chose que lui avait dit Santerre le jour même. Mais quoi ?

Il appela au poste. Santerre avait quitté. Il le joignit sur son portable.

L'Orignal semblait essoufflé.

— J'appelle au mauvais moment, constata Surprenant.

— Un peu, oui.

— Des hommes de rien, ça te dit quelque chose ?

— Rien du tout. On verra ça demain, veux-tu ?

— 10-4.

Surprenant, irrité mais fatigué, décida de se coucher.

* * *

282

En se consumant, l'enregistreuse et la cassette dégagèrent une odeur de plastique carbonisé.

Penché au-dessus de l'ouverture du poêle, il semblait s'assurer que rien n'échappait aux flammes. Comme il était de dos, elle ne pouvait voir son expression. Sans doute était-il soulagé.

Il referma le rond du poêle, accrocha le tisonnier à sa place, claudiqua jusqu'au réfrigérateur et en tira l'une des bouteilles de chardonnay.

Pop ! Elle allait savoir ce qu'il avait en tête.

Il s'approcha, le visage fermé. Si sa cuisse, hâtivement bandée avec une manche de chemise, lui faisait mal, il n'en laissait rien paraître. Il remarqua son regard.

— Ne t'inquiète pas. La balle a traversé le muscle, de part en part, sans faire de dommage. Le vaste externe du quadriceps ! Si tu avais mieux visé, tu aurais atteint le fémur, ou encore les vaisseaux de la face interne.

Viser ! Comme si elle y avait songé ! Quand il avait contourné la table, elle avait saisi la carabine sur le vaisselier, derrière elle, et s'était retournée.

— Bouge pas !

Il s'était immobilisé à deux mètres d'elle, toujours furieux. Il avait regardé l'arme, avait fait non de la tête et s'était avancé dans sa direction. Elle avait eu le réflexe d'abaisser le canon et de tirer aux jambes. Elle se souvenait de sa stupeur, d'une mêlée, d'une douleur fulgurante à la tête.

Quand elle avait repris conscience, la situation était inversée : elle était suspendue, menottes aux poignets, dans la chambre du devant.

Verre à la main, Pierre était devant elle.

— Tu n'as pas eu le courage de me tuer. Peut-être que tu m'aimes, finalement ?

— Qu'est-ce que tu veux ?

Il écarta ses cheveux et examina son visage.

— Tu vas avoir un œil au beurre noir. Remarque que c'est moins pire que ma cicatrice.

— Pourquoi tu ne t'en vas pas?

Le sourire qu'il esquissa exprimait à la fois la raillerie et un réalisme résigné.

— Nous sommes liés l'un à l'autre, Diane.

— Tu es fou!

— J'ai tué Jonathan accidentellement. Tu m'as enlevé, séquestré, torturé. Nous avons fauté tous les deux. Nous sommes quittes.

— Je préfère crever plutôt que de sentir un jour ta main sur moi!

— Réfléchis avant de dire n'importe quoi. Il y a quelques jours, tu voulais devenir ma femme. Il y a eu ces aveux, cette violence. Tu ne pourras rien prouver devant les tribunaux. Je suis aussi en position de te poursuivre. Nous pouvons nous détruire l'un l'autre. Nous pouvons aussi choisir de nous pardonner. Je peux être patient, moi aussi.

Yeux fermés, Diane se fit violence pour ne pas répondre. Cet homme était fou. Elle devait retrouver son calme et temporiser. Tant que Pierre gardait l'impression qu'elle était en son pouvoir, il ne pouvait rien lui arriver.

* * *

J'ai douze ans. Je suis sur la scène du Cercle Saint-Charles, entre mon frère Jacques et un autre gars de ma classe, qui ressemble à Roméo en miniature. Nous présentons un sketch, toute la ville est dans la salle, ma mère et le curé, qui oscille au-dessus des chaises de bois sous la forme d'un ballon gonflable. Mini-Roméo parle, il me fait un clin d'œil, c'est le temps de dire ma réplique, mais j'ai soudainement grandi. Mon pantalon est trop court, on voit mes pieds et mes bas rouges. Tout le monde rit. Le rire devient une vague, des rapides qui bondissent sur des

roches. Mon père apparaît, en canot, cigarette au bec, sa cas-
quette O'Keefe de travers sur des cheveux de hippie.

À neuf heures quinze, le lendemain, en compagnie de l'agent Jean-René Power, Surprenant roulait sur une route de terre en direction du Rapide-Blanc. S'il fallait en croire les renseignements fournis par Pierre Faubert, qui avait donné signe de vie du Mexique, il avait des chances de trouver Diane Gagnon à un camp situé à quelques kilomètres d'une centrale d'Hydro-Québec. Santerre lui avait soigneusement expliqué le chemin. Il n'avait qu'à suivre le schéma qu'il avait griffonné une heure plus tôt dans la cabine de son Cherokee.

— Vous avez trouvé ça par une chanson? s'étonna Power.

— Oscar Thiffault, ça ne te dit rien?

— Je dirais que c'est plus de votre temps.

Si Surprenant avait été à l'aise avec Power, qui le consi-dérait avec une condescendance prétentieuse malgré son jeune âge, il aurait pu lui réciter les paroles du *Rapide-Blanc* qui lui étaient revenues en tête lorsque Santerre l'avait appelé.

Mon mari est au Rapide-Blanc
Y a des hommes de rien qui rentrent, pis qui rentrent
Y a des hommes de rien qui rentrent, pis ça m'fait rien

Il lui ordonna plutôt de tourner à droite au prochain embranchement.

— Je connais le chemin, répliqua Power.

Surprenant, lui, connaissait les règles. Diane était pro-bablement en possession d'une arme. Aucun policier n'intervenait seul, à moins d'une urgence absolue, sur-tout au fond des bois.

Après avoir longé de loin en loin le parcours tortueux de la rivière Croche, ils avaient foncé en plein bois vers le nord-ouest. Le ciel gris, bas, semblait prêt à crever. La neige tombée la veille avait fondu. Ils franchirent un pont avant de bifurquer vers le sud.

— Ça ne devrait plus être loin.

Power engagea le Blazer de la Sûreté sur un mauvais chemin qui s'enfonçait entre les épinettes. Deux cents mètres plus loin, après une courbe, ils découvrirent un Pathfinder noir, devant un chalet d'allure rustique.

— Arrête-toi à une quinzaine de mètres. Pas de confrontation, OK?

Power immobilisa le Blazer et éteignit le moteur. De la fumée s'échappait d'une cheminée métallique. Pas un bruit. Les occupants les avaient sûrement entendus arriver.

Surprenant et son coéquipier s'approchèrent à pas lents. Dix mètres. Cinq mètres. Toujours aucune réaction. Le cœur battant, Surprenant se plaqua contre le mur, à la gauche de la porte, et cria :

— Police !

Il perçut des pas à l'intérieur.

— Diane !

Il s'approcha de la porte et cogna. Rien.

— Ouvrez !

Une détonation et un bruit de vitre fracassée lui répondirent. Il ressentit une brûlure au front. À moins d'un mètre de son visage, une fenêtre venait d'exploser.

Jurant et soufflant, les deux policiers coururent se mettre à l'abri derrière le Blazer. Surprenant porta la main à son front : il saignait.

— Le gars sort, dit Power. Il est armé.

Surprenant risqua un œil. Parent, les joues mangées par la barbe, était debout devant le chalet, une 22 entre les mains. Son pantalon, au niveau de la cuisse droite, était taché de sang. Calmement, le médecin épaula et tira en l'air.

— Jetez votre arme, Parent ! hurla Surprenant.

Pas un son, sauf des bruits de pas. Surprenant leva la tête : carabine à l'épaule, Parent s'avançait vers eux.

Surprenant répéta son ordre en sortant son revolver. Parent tira une nouvelle fois, atteignant l'aile avant du Blazer. Surprenant entendit la détonation mate du Glock de Power.

— Maudit cave !

Il regarda du côté du chalet. Parent était couché sur le dos, bras en croix. Surprenant quitta son abri et s'avança vers lui, suivi de Power qui tenait son pistolet à deux mains et marmonnait une suite de « tabarnouche ! ». Une tache de sang s'élargissait sous la clavicule gauche du blessé. Surprenant se pencha sur lui. Parent avait une lèvre enflée, une coupure à la joue gauche. Il ouvrit un œil, parut sourire avant de perdre conscience.

Surprenant s'élança vers le chalet.

29

Le noir et les trois blanches

— Vous êtes sûr que vous ne prendriez pas un autre café ?

— Non, merci.

Surprenant sourit. Dehors, la pluie, une lourde pluie de novembre, froide, insistante, rebondissait sur les toits des pick-up et gonflait la rivière.

— Au moins, j'aurai eu l'occasion de me faire tutoyer, ajouta-t-il.

— Dans la situation où j'étais, tu ou vous, c'était pas mal pareil.

Quand Surprenant avait fait irruption dans le chalet, il avait découvert Diane dans la chambre, suspendue au plafond par des menottes reliées à un système de poulies, l'œil gauche tuméfié.

— Il est mort ? avait-elle demandé.

— Je ne sais pas. Tu es OK ?

— Oui. Qu'est-ce que tu as au visage ?

— C'est rien. Les clefs des menottes ?

— Sur le bord de la fenêtre.

Il avait libéré ses poignets, ému par la proximité du corps frêle de la captive. Cette scène dramatique serait, ils le savaient, leur unique moment d'intimité.

— Tu as mis du temps à arriver, quand même !

Ils étaient sortis. Main posée sur le cou de Parent, Power semblait médusé par la tache rouge qui s'élargissait sur le thorax de sa victime.

— Il a un pouls, il respire, je ne sais pas ce qui se passe.

— Tabarnouche ! ironisa Surprenant.

Deux minutes plus tard, la folle course vers La Tuque avait commencé. Power conduisait, Surprenant était à l'arrière avec Parent qui avait repris conscience et réclamait Diane, qui restait de glace sur le siège avant. Secoué par les cahots, Parent, le pouls faible, respirait de plus en plus laborieusement. L'ambulance les avait rencontrés à la hauteur du lac Clair. Intraveineuse au coude, masque à oxygène sur le visage, Parent était parti vers Trois-Rivières, d'où il avait été transféré le soir même à Québec.

Jean-René Power, qui aurait dû tirer aux jambes, avait réussi un carton : il avait atteint Parent entre le cœur et les gros vaisseaux de l'espace sous-claviculaire, un espace de dix centimètres carrés. La balle avait perforé le poumon, entraîné un pneumothorax, fracassé une côte et l'omoplate. Parent était sorti de l'hôpital la veille. Il était chez lui, avenue Moncton, soigné par sa fille et par son ex-femme, qui avait passé chaque jour plusieurs heures à son chevet.

Hélène Damphousse n'avait par ailleurs pas cherché à nier quand Surprenant l'avait questionnée de nouveau au sujet de la lettre anonyme. Les choses s'étaient passées comme il l'avait présumé : il lui avait mis la puce à l'oreille lors de leur promenade au Bois-de-Coulonge. Elle avait fait des recherches au sujet de la mort de Jonathan, avait découvert l'histoire du CR-V et avait fait le lien avec son ex-mari.

— À partir de ce moment, avait-elle candidement plaidé devant Surprenant, vous comprenez qu'il était de mon devoir d'avertir cette pauvre Diane !

« Et de votre intérêt… », avait songé le policier.

Circonstance extraordinaire, Hélène Damphousse semblait vouloir profiter de la crise pour renouer avec son
mari. Affaibli, traversé de vis et de tubes, le cardiologue
soutenait le siège avec une rage fataliste. Il avait d'autres
soucis. La fusillade en Haute-Mauricie, liée à un délit de
fuite vieux de deux ans, avait fait les délices des médias et
sa réputation avait volé en éclats.

Bien que Diane refusât de témoigner contre Parent, le
procureur général, qui faisait de la lutte contre l'alcool
au volant l'une de ses priorités, était enclin à procéder.
L'avocat de Parent avait menacé de poursuivre Diane
pour enlèvement, séquestration et agression armée. Ces
accusations pouvant entraîner de lourdes peines, les deux
parties semblaient avoir tacitement convenu de se déclarer quittes. Par ailleurs, Diane bénéficiait de la sympathie
du public. La meilleure option du médecin, à long terme,
était peut-être d'assumer sa faute et de se réinventer en
buveur repenti.

Plus que sa réputation perdue, sa joue lacérée, sa santé
altérée, il pleurait la perte de sa fiancée. Elle ne l'avait
pas visité une seule fois à l'hôpital. Elle n'avait même
pas pris de nouvelles. Deux jours après les événements,
Johnny Gagnon avait stationné son pick-up rouge devant
la maison de l'avenue Moncton et avait laissé aux soins du
voisin aux lunettes à monture d'écaille un carton contenant ses effets. Depuis que Surprenant lui avait retiré ses
menottes, Diane avait expulsé Parent de son existence.

La réaction était si viscérale qu'elle n'évoquait les événements du Rapide-Blanc qu'avec la plus grande réticence.

— Vous avez pas changé d'idée ? reprit Surprenant, cet
après-midi-là, au bar. Je pourrais certainement retrouver les gens qui ont nettoyé le CR-V et faire admettre à
Duchesneau qu'il a menti.

Lui tournant le dos, Diane éteignit la radio et inséra un CD dans le lecteur.

— Une accusation, ça demeure un lien.

Ton dos parfait comme un désert
Quand la tempête a passé sur nos corps

Le ton de Diane, calme mais farouche, s'accordait aux mots de Richard Desjardins. Surprenant regarda le beau visage émacié, les prunelles grises qui semblaient liquides dans la lumière indécise de cet après-midi pluvieux. Il y décela une nouvelle assurance. L'homme du jeudi, en se présentant et en la trahissant, avait semblé emporter avec lui le fantôme de Jonathan.

— Pierre a eu sa punition, poursuivit-elle. Il m'avait et il m'a perdue. Parce que c'est ça le pire : il m'aimait.

— Vraiment ?

— Il m'aimait à sa façon, qui était loin d'être parfaite. C'est pour ça qu'il m'a suspendue avec les menottes. Il voulait me remettre la monnaie de ma pièce, mais aussi me persuader qu'il m'aimait, malgré tout.

— Et vous ?

Elle essuya un verre, l'examina contre la lumière du jour, lui redonna un coup de linge.

— Moi, je pars dans le Sud avec Francine. Deux semaines ! Je ne veux plus rien savoir !

— Qu'est-ce que vous voulez faire à propos de Steve ? C'est assez clair qu'il vous a volé plus de dix mille dollars depuis deux ans.

— Vous remercierez votre ami Santerre. J'ai congédié Steve. Pour l'instant, c'est suffisant.

— Encore là, vous refusez de porter plainte.

— Le pardon, sergent Surprenant. Ça fait du bien.

Le visage de Diane rayonnait. Cette fois, il en était sûr : elle était guérie de son cancer et de son deuil.

Il se leva et la taquina :

— « Sergent Surprenant » ! Moi qui croyais qu'on pouvait se tutoyer !

— Je vais faire mieux que ça, mon beau noir.

Elle contourna le comptoir, l'attrapa par le cou et l'embrassa sur les joues. Il la serra contre lui, surpris de la découvrir si menue, un oiseau à l'aile brisée entre ses bras.

Il entendit des sifflements.

— Maintenant, va-t'en avant qu'on fasse un scandale.

Il se retourna et découvrit les visages émus de Jules, des joueurs de dames, du gros Steph et de ceux dont il ne savait pas le nom.

Surprenant se dirigeait vers la porte lorsqu'il se pencha quelques instants sur le damier. Il souleva une noire, mangea trois blanches, et sortit.

Remerciements

Je remercie Gabriel Dionne, Pierre Dufort, Evelyn Keller, Patrick Leimgruber, Alexis, Catherine, Danièle et Madeleine Lemieux, Lyne Morin, Marie-Hélène Rouleau, Jean-Michel Schembré et Yves Trudeau, qui m'ont éclairé ou appuyé à divers titres le long du parcours.

Aux éditions de la courte échelle, je tiens à souligner le concours et la patience d'Hélène Derome, d'Hélène Ricard, de Julie-Jeanne Roy et de Geneviève Thibault.

Parus à la courte échelle :

Romans

Julie Balian
Le goût du paradis

Chitra Banerjee Divakaruni
Une histoire extraordinaire

Valérie Banville
Canons
Nues

Patrick Bouvier
Des nouvelles de la ville

Chrystine Brouillet
Le Collectionneur
C'est pour mieux t'aimer,
mon enfant
Les fiancées de l'enfer
Soins intensifs
Indésirables
Sans pardon
Silence de mort
Promesses d'éternité
Sous surveillance
Double disparition

Marie-Danielle Croteau
Le grand détour

Hélène Desjardins
Suspects
Le dernier roman

Sylvie Desrosiers
Voyage à Lointainville
Retour à Lointainville
T'as rien compris, Jacinthe…

Annie Dufour
Les enfants de Doodletown

Andrée Laberge
Les oiseaux de verre
L'aguayo

François Landry
Moonshine

Anne Legault
Détail de la Mort

Jean Lemieux
La lune rouge
La marche du Fou
On finit toujours par payer
Le mort du chemin des Arsène

Nathalie Loignon
La corde à danser

André Marois
Accidents de parcours
Les effets sont secondaires
Sa propre mort
9 ans, pas peur

Judith Messier
Dernier souffle à Boston

Sylvain Meunier
L'homme qui détestait le golf
La nuit des infirmières
psychédéliques
Les mémoires d'un œuf

Trilogie Lovelie D'Haïti
Lovelie D'Haïti, tome 1
Le temps des déchirures, tome 2
La saison des trahisons, tome 3

André Noël
Le seigneur des rutabagas

Stanley Péan
Zombi Blues
Le tumulte de mon sang

Maryse Pelletier
L'odeur des pivoines
La duchesse des Bois-Francs

Raymond Plante
Projections privées
Le nomade
Novembre, la nuit
Baisers voyous
Les veilleuses

Jacques Savoie
Le cirque bleu
Les ruelles de Caresso
Un train de glace

Alain Ulysse Tremblay
Ma paye contre une meilleure idée que la mienne
La langue de Stanley dans le vinaigre

Gilles Vilmont
La dernière nuit de Jeanne

Nouvelles

André Marois
Du cyan plein les mains
Petit feu

Stanley Péan
Autochtones de la nuit

Récits

Sylvie Desrosiers
Le jeu de l'oie. Petite histoire vraie d'un cancer

Guides pratiques

Yves Bernard et Nathalie Fredette
Guide des musiques du monde. Une sélection de 100 CD

Bureau international du droit des enfants (IBCR)
Connaître les droits de l'enfant – comprendre la convention relative aux droits de l'enfant au Québec

Format de poche

Chrystine Brouillet
Le Collectionneur
C'est pour mieux t'aimer,
mon enfant
Les fiancées de l'enfer
Soins intensifs
Indésirables
Sans pardon
Silence de mort

Marie-Danielle Croteau
Le grand détour

Jean Lemieux
La lune rouge
La marche du Fou
On finit toujours par payer

André Marois
Accidents de parcours
Les effets sont secondaires
Du cyan plein les mains

Judith Messier
Dernier souffle à Boston

Sylvain Meunier
L'homme qui détestait le golf

Trilogie Lovelie D'Haïti
Lovelie D'Haïti, tome 1
Le temps des déchirures, tome 2
La saison des trahisons, tome 3

Stanley Péan
La nuit démasque
Le cabinet du Docteur K.
Zombi Blues
Le tumulte de mon sang

Maryse Pelletier
La duchesse des Bois-Francs

Raymond Plante
Projections privées
Le nomade
Novembre, la nuit

Achevé d'imprimer
en avril deux mille douze, sur les presses
de l'imprimerie Gauvin, Gatineau, Québec